"

스타트업의 ESG 경영전략 및 사례

스마트업의 ESG 경영전략 및 사례

발행   2024년 04월 29일
저자   강근명
디자인   어비, 미드저니
편집   어비
펴낸이   송태민
펴낸곳   열린 인공지능
출판사등록   2023.03.09(제2023-16호)
주소   서울특별시 영등포구 영등포로 112
전화   (0505)044-0088
E-mail   book@uhbee.net

ISBN   979-11-94006-12-1

www.OpenAIBooks.shop

"

스타트업의
ESG 경영전략 및 사례

강근명 지음

열린 인공지능

차례

머리말

　21세기의 기업 환경에서 ESG(환경, 사회, 지배구조) 경영의 중요성은 단순한 유행을 넘어서 필수적인 요소로 자리 잡고 있습니다. 이는 기업이 단순히 재무적 성과를 추구하는 것을 넘어, 환경 보호, 사회적 책임, 투명한 지배구조를 통해 지속 가능한 발전을 추구해야 한다는 시대적 요구와 변화의 반영입니다. 특히, 글로벌 경제의 주요 흐름이 되고 있는 ESG 경영은 기업의 장기적인 성공을 위한 필수 전략으로 인식되고 있습니다.

　스타트업의 경우, ESG 경영의 적용은 더욱 중요합니다. 초기 단계에서부터 환경, 사회, 지배구조에 대한 책임을 고려하고 이를 전략적으로 통합함으로써, 스타트업은 지속 가능하고 윤리적인 비즈니스 모델을 구축할 수 있습니다. 이는 장기적으로 기업 가치를 높이고, 투자자와 고객의 신뢰를 얻으며, 사회적 인정을 받는 데 크게 기여합니다.

또한, 스타트업은 기존 기업과 달리 더 민첩하고 혁신적인 접근을 할 수 있는 장점을 가지고 있습니다. 이러한 특성은 ESG 문제에 대한 신속하고 창의적인 해결책을 제시하는 데 유리하며, 이는 비즈니스의 차별화 요소가 될 수 있습니다. 친환경 기술 개발, 사회적 가치 창출, 윤리적인 비즈니스 운영 등은 스타트업이 ESG 경영을 통해 시장에서 경쟁 우위를 확보하는 방법이 될 수 있습니다.

본 책은 이러한 시대적 요구에 부응하여 스타트업이 ESG 경영을 어떻게 효과적으로 통합하고 실행할 수 있는지에 대한 깊은 이해와 실질적인 조언을 제안합니다. ESG 경영의 기본 개념에서부터 시작하여, 환경 관리 전략, 사회적 책임, 지배구조 개선 방법에 이르기까지, 스타트업의 관점에서 ESG 경영의 모든 측면을 다룹니다.

이 책의 내용이 스타트업 창업자, 경영진, ESG 경영에 관심 있는 모든 이들에게 방향키가 되기를 희망합니다. 앞으로의 스타트업은 ESG 경영을 통해 지속 가능한 성장을 이루고, 장기적인 경쟁력을 확보하는 데 중요한 역할을 할 것입니다. 이러한 지속 가능한 미래를 향한 여정에서, 이 책이 스타트업에게 중요한 길잡이가 되기를 바랍니다.

강근명 박사는 컨설팅학 박사이자 ㈜케이엠파트너스의 대표로, 광범위한 경험과 전문 지식을 가지고 있습니다. ESG 경영, 창업 관련 멘토링 및 강의, 중소기업 비즈니스 모델 구축 등 다양한 분야에서 활동하며, 특히 ESG 경영 보고서 작성 및 검증에 대한 컨설팅을 제공합니다. 한국벤처창업학회 이사, ISO ESG 국제심사원, 중소기업기술정보진흥원 평가위원 등 여러 중요한 역할을 수행하며, ESG 경영 컨설팅 전문위원으로도 활동합니다.

또한, 창업과 ESG 경영에 대한 깊은 이해를 바탕으로, 기업과 개인이 지속 가능한 성장을 이룰 수 있도록 지원하는 데 전념하고 있습니다.

서론

ESG 경영의 중요성 – 시대적 요구와 변화,

스타트업에서 ESG 적용의 필요성

   최근 ESG 경영은 단순히 윤리적인 결정을 넘어서 기업의 생존과 성장에 필수적인 요소로 자리 잡고 있습니다. ESG 경영은 환경 보호, 사회적 책임, 투명한 경영을 포함하여 기업이 장기적인 지속 가능성을 추구하는 데 중요한 역할을 합니다. 특히 스타트업에게 있어 ESG 경영은 더욱 중요 해졌습니다. 스타트업은 혁신적인 아이디어와 기술을 바탕으로 빠르게 성장할 수 있는 잠재력을 가지고 있지만, 이러한 성장은 환경적, 사회적, 거버넌스 측면에서 지속 가능해야 합니다.

스타트업은 ESG 경영을 통해 브랜드 가치를 높이고, 투자자와 고객의 신뢰를 얻을 수 있습니다. 또한, ESG 경영은 기업의 위험 관리를 개선하고, 장기적인 성공을 위한 토대를 마련하는 데 중요한 역할을 합니다. 이러한 맥락에서, 스타트업이 ESG 경영을 통해 어떻게 지속 가능한 성장을 이루고, 사회적 가치를 창출할 수 있는지에 대한 심층적인 분석이 필요합니다.

본문에서는 스타트업의 ESG 경영에 필요한 기본 개념부터 시작하여, 각 분야별 전략 수립 및 실행 방안, 성과 평가 방법에 이르기까지 포괄적으로 다루고 있습니다. 이를 통해 스타트업이 ESG 경영을 효과적으로 수행하고, 지속 가능한 비즈니스 모델을 구축하는 데 도움이 되고자 합니다. ESG 경영은 단순히 경영 전략의 일환을 넘어, 스타트업이 사회적, 환경적, 경제적으로 지속 가능한 미래를 만드는 데 중요한 역할을 할 것입니다.

제1부
ESG 경영의 기초

제1장

ESG 경영의 개념

– ESG 경영 프로세스

  ESG 경영은 환경(Environment), 사회(Social), 지배구조 (Governance)의 첫 글자를 따서 만든 용어로, 기업이 지속 가능한 성장을 추구하는 동시에 사회적 책임을 이행하기 위해 환경 보호, 사회적 가치 증진, 투명한 지배 구조 강화에 중점을 두는 경영 전략입니다. 이는 단순히 이윤의 극대화를 넘어서 기업이 직면한 사회적, 환경적 문제에 대해 적극적으로 대응하고, 이해관계자들과의 신뢰를 구축함으로써 장기적으로 기업 가치를 높이는 것을 목표로 합니다.

환경(Environment) 측면에서는 기후 변화 대응, 자원의 효율적 사용, 오염 방지 등을 통해 지속 가능한 환경을 조성하는 데 기여합니다. 사회(Social) 측면에서는 직원의 복지 향상, 다양성과 포용성 증진, 공급망 내에서의 인권 존중 등 사회적 가치를 실현하는데 주력합니다. 지배구조(Governance) 측면에서는 투명한 경영, 이해관계자와의 소통 강화, 윤리적 비즈니스 관행을 확립하여 기업의 지속 가능성을 높이고 위험을 관리합니다.

이러한 ESG 경영은 기업의 장기적 성공과 직결되며, 투자자들은 ESG 성과가 우수한 기업을 더 안정적이고 지속 가능한 투자처로 평가하게 됩니다. 또한, 소비자들의 인식 변화에 따라 ESG 경영을 실천하는 기업에 대한 선호도가 높아지고 있으며, 이는 기업의 브랜드 가치와 시장에서의 경쟁력을 높이는 중요한 요소가 됩니다.

ESG 경영을 통해 기업은 비즈니스의 사회적, 환경적 영향을 긍정적으로 관리하고, 장기적인 지속 가능한 발전을 추구함으로써 사회 전반에 긍정적인 변화를 이끌어 낼 수 있습니다. 따라서, 기업의 ESG 경영 실천은 단순한 윤리적 의무를 넘어서 경제적 가치 창출의 핵심 요소로 자리 잡고 있습니다.

이는 현대 비즈니스 환경에서 기업이 직면한 다양한 도전과 기회에 대응하는 데 필수적인 요소이며, ESG 경영의 중요성은 앞으로도 더욱 증가할 것으로 예상됩니다. 기업들이 ESG 요소를 경영 전략에 통합함으로써 사회적 책임을 이행하고, 지속 가능한 성장을 달성하기 위한 노력은 기업의 장기적 성공을 위한 필수적인 조건이 될 것입니다.

ESG경영 프로세스:

ESG 경영 프로세스는 기업이 환경(Environment), 사회(Social), 지배구조(Governance) 측면에서 지속 가능한 발전을 달성하기 위해 따라야 하는 일련의 단계와 절차를 말합니다. 이 과정은 기업의 ESG 관련 목표 설정에서부터 실행, 모니터링, 보고 및 개선까지의 전체 사이클을 아우릅니다. ESG 경영 프로세스는 다음과 같은 핵심 단계로 구성될 수 있습니다:

ESG 목표와 전략 수립: 기업은 자신의 비즈니스 모델과 관련된 ESG 요소를 식별하고, 이를 바탕으로 구체적이고 측정 가능한 ESG 목표를 설정합니다. 이 단계에서는 기업의 비전과 장기적인 목표에 ESG가 어떻게 통합될 수 있는지에 대한 전략을 수립합니다.

리스크와 기회 평가: ESG와 관련된 내외부적 리스크와 기회를 평가

합니다. 이 과정에서는 환경적 영향, 사회적 책임, 지배구조의 투명성과 같은 요소들을 종합적으로 고려하여 기업 활동이 직면할 수 있는 잠재적 위험과 기회를 식별합니다.

이행 계획의 개발: 목표 달성을 위한 구체적인 이행 계획을 개발합니다. 이 계획에는 ESG 목표를 달성하기 위한 정책, 절차, 책임 분배, 자원 배분 등이 포함됩니다.

실행과 통합: 설정된 ESG 전략과 이행 계획을 기업의 일상적인 운영과 의사 결정 과정에 통합하고 실행합니다. 이 단계에서는 모든 조직 구성원이 ESG 목표 달성을 위해 협력하고, ESG 관련 활동이 기업 전반에 걸쳐 일관되게 이루어지도록 합니다.

모니터링과 평가: ESG 관련 활동과 성과를 지속적으로 모니터링하고 평가합니다. 이를 통해 기업은 설정한 목표에 대한 진행 상황을 파악하고, 필요한 경우 조정과 개선을 진행할 수 있습니다.

보고 및 커뮤니케이션: ESG 성과와 관련된 정보를 이해관계자들과 공유합니다. 이는 투명성을 높이고, 이해관계자들과의 신뢰를 구축하는 중요한 과정입니다. 기업은 지속 가능 보고 기준에 따라 ESG 관련 성과를 정기적으로 보고하며, 이해관계자들과의 소통을 강화합니다.

이러한 ESG 경영 프로세스를 통해 기업은 지속 가능한 성장을 도모하고, 사회적 책임을 이행하며, 장기적인 가치 창출을 실현할 수 있습니다. ESG 경영은 기업이 직면한 다양한 도전에 대응하고, 변화하는 시장 및 사회적 요구에 적응하며, 지속 가능한 미래를 위한 기업을 추구할 수 있는 기반을 마련합니다. ESG 경영 프로세스는 기업이 사회와 환경에 대한 책임을 인식하고, 이를 경영 전략과 운영에 적극적으로 반영함으로써, 지속 가능한 발전을 위한 길을 모색하는 중요한 접근 방식입니다. 이 과정은 기업의 내부 구성원뿐만 아니라 투자자, 고객, 지역 사회 등 모든 이해관계자들과의 긴밀한 협력을 요구하며, 이를 통해 기업의 장기적인 가치를 증대시키고 사회 전반의 지속 가능성에 기여하는 결과를 이끌어낼 수 있습니다.

기업이 ESG 경영 프로세스를 효과적으로 수행하기 위해서는 명확한 목표 설정, 이해관계자의 기대와 요구 사항의 이해, ESG 관련 위험과 기회의 지속적인 모니터링 및 평가, 그리고 이에 대한 투명한 커뮤니케이션과 보고 체계의 구축이 필수적입니다. 이 과정에서 기업은 자체적인 ESG 성과를 지속적으로 개선해 나가며, 이를 통해 경쟁력을 강화하고, 지속 가능한 성장을 위한 견고한 기반을 마련할 수 있습니다.

- 글로벌 트렌드와 ESG 경영의 발전

글로벌 트렌드:

ESG 경영의 글로벌 트랜드는 지난 몇 년 동안 기업 경영에 있어 중요한 변화를 가져왔으며, 이제는 전 세계 기업들의 전략적 결정과 투자자들의 투자 결정에 깊은 영향을 미치고 있습니다. 글로벌 트랜드의 핵심은 지속 가능성, 사회적 책임, 그리고 투명한 지배구조에 대한 중요성 증가입니다. 이러한 트랜드는 국제 기준과 법률, 소비자의 요구, 투자자의 기대 등 다양한 요소들이 반영되고 있습니다.

첫째, 국제적으로는 파리 기후 협정과 유엔의 지속 가능한 발전 목표(SDGs)와 같은 글로벌 이니셔티브가 ESG 경영의 중요성을 더욱 부각시키고 있습니다. 이러한 이니셔티브들은 기업들에게 환경 보호, 사회적 책임, 투명한 지배구조에 대한 명확한 목표를 제시하고 있습니다.

둘째, 투자자들은 이제 ESG 성과를 중요한 투자 결정 기준으로 삼고 있습니다. 지속 가능한 투자는 더 이상 니치 마켓이 아니며, ESG 기준을 충족하는 기업들은 더 많은 투자를 유치하고 더 높은 시장 가치를 인정받고 있습니다.

셋째, 기업의 ESG 노력은 소비자 선택에도 중요한 영향을 미치고 있습니다. 소비자들은 지속 가능하고 윤리적인 제품과 서비스에 대해 점점 더 관심을 보이고 있으며, 이는 기업들이 ESG를 중심으로 한 제품 개발과 마케팅 전략을 수립하도록 유도하고 있습니다.

넷째, 정부와 규제 기관은 ESG 관련 규제와 기준을 강화하고 있습니다. 특히 유럽연합(EU)은 ESG 공시 요구사항을 포함한 강력한 지속 가능한 금융 규제 프레임워크를 도입했습니다. 이러한 규제는 기업들이 ESG 관련 정보를 더 투명하게 공시하도록 요구하며, 이는 투자자와 소비자의 의사 결정에 중요한 정보를 제공합니다.

이처럼 ESG 경영의 글로벌 트랜드는 지속 가능한 개발, 사회적 책임, 그리고 지배구조의 투명성을 강조함으로써 기업들이 장기적인 성공을 달성하고, 사회적 가치를 창출하며, 환경적 발자국을 줄이는 데 중요한 역할을 하고 있습니다. 이러한 트랜드는 앞으로도 계속해서 기업 경영의 핵심 요소로 자리 잡을 것으로 예상되며, 기업들은 이에 적극적으로 대응하기 위한 전략을 수립하고 실행해야 할 것입니다.

ESG 경영의 발전:

ESG 경영의 발전은 지난 몇 년간 글로벌 비즈니스 환경에서 중요한 변화와 발전을 지속했습니다.

처음 ESG 경영이 주목받기 시작한 것은 2000년대 초반, 유엔의 글로벌 콤팩트와 같은 국제적인 이니셔티브가 기업의 사회적 책임과 지속 가능한 발전을 강조하면서부터 입니다. 이후, ESG 경영은 금융 분야에서 지속 가능한 투자의 중요성이 부각되면서 더욱 확산되기 시작했습니다.

2015년에는 유엔 지속 가능한 발전 목표(SDGs)가 발표되어 ESG의 환경적, 사회적 측면에 대한 전 세계적인 관심이 더욱 커지기 시작했습니다. 이후 몇 년간 ESG에 대한 관심은 기후 변화 대응, 사회적 불평등 해소, 지배구조 개선을 향한 글로벌 노력의 일환으로 지속해서 증가해 왔습니다.

2020년대 들어서며 ESG는 더욱 중요한 경영 전략으로 자리매김하였습니다. 특히 2020년은 COVID-19 팬데믹으로 인해 ESG 경영의 사회적 측면이 크게 부각되었으며, 기업의 사회적 책임과 복원력이 중요한 평가 기준이 되었습니다. 또한, EU는 2020년에 ESG 관련 공시 요구사항을 강화하는 지속 가능한 금융 공시 규정(SFDR)을 도입하였고, 이는 글로벌 기업들에게 큰 영향을 미쳤습니다.

이러한 발전 과정을 통해 ESG 경영은 단순히 기업의 재무적 성과를 넘어서, 환경 보호, 사회적 책임, 그리고 투명하고 책임 있는 지배구조를 포함하는 종합적인 성과 지표로 인식되기 시작했습니다. 기업들은 ESG 목표를 달성하기 위해 전략을 수립하고, 이를 통해 장기적 가치를 창출하는 동시에, 글로벌 사회와 환경에 대한 긍정적인 기여를 목표로 하고 있습니다.

앞으로 ESG 경영은 기후 변화 대응, 자원의 지속 가능한 사용, 사회적 평등 추구, 그리고 강화된 지배구조 기준에 대한 글로벌 요구 사항에 따라 계속해서 발전할 것입니다. 기업, 투자자, 정부, 그리고 소비자들 사이의 상호 작용이 ESG 경영의 미래 방향성을 결정짓는 중요한 역할을 할 것으로 기대됩니다.

<ESG경영 발전 및 글로벌 동향>

████ : ESG의 초기 개념과 출현

████ : 'ESG'라는 용어가 처음 사용된 시기로 UN PRI 등 핵심 원칙이
확립된 시기

████ : ESG에 대한 관심과 투자가 증가하는 단계

████ : ESG가 주류 개념으로 자리잡음.

제2장

스타트업의 ESG 경영

- 스타트업의 ESG 경영 필요성

스타트업의 ESG 경영 필요성을 리스크 대응, 비즈니스 기회 창출, 기업 시민으로서의 책임의 세 가지 주요 맥락으로 나누어 이해할 수 있습니다. 리스크 대응은 환경적, 사회적, 지배구조 관련 위험을 관리하고 미래 지속 가능성을 확보하는 데 중요합니다. 비즈니스 기회 창출 측면에서는, 지속 가능한 제품과 서비스에 대한 수요 증가를 활용하여 새로운 시장을 개척하고 경쟁 우위를 확보할 수 있습니다. 마지막으로, 기업 시민으로서의 책임은 사회적 가치 창출과 지역사회 발전에 기여함으로써,

기업의 명성을 높이고 이해관계자와의 신뢰를 구축하는 데 중요한 역할을 합니다.

리스크 대응 (Risk Management)	• 정보개방화 시대 → 기업정보/활동 공개 → 리스크 노출 ↑ (리스크 발생 영역의 확대 + 영향성 증대) • 선행적 ESG활동 → 외부와의 관계향상 & 자정노력
비즈니스 기회 창출 (Business Opportunity)	• ESG 활동을 통한 기업성장의 모멘텀 확보 (신규 비즈니스/시장 창출, 관계향상/이미지 제고, 인재 유입 등) • 소비자 인식변화 + 사회책임투자 확대
기업시민으로서의 책임 (Corporate Citizenship)	• 기업은 지역사회 일원 → 참여와 발전에 기여 의무 • 지역사회 → 기업 → 소비자간의 선순환 체계

– 스타트업의 창의적인 ESG 도전과 기회

스타트업에서 ESG(환경, 사회, 거버넌스) 관리의 중요성을 인식하려면 반드시 각 분야에 대한 의미를 분석해야 합니다.

투자자 유치 및 자금 조달: 오늘날의 투자 환경에서는 책임 투자로의 분명한 전환이 있습니다. ESG 기준은 투자자의 실사 프로세스에서 중요한 부분이 되었습니다. 스타트업에게 이러한 변화는 도전이자 새로운 기회라고 할 수 있습니다. 핵심 비즈니스 전략에 ESG 원칙을 포함시키는 기업은 임팩트 투자에 중점을 둔 투자자를 포함하여 다양한 범위의 투자자를 유치할 가능성이 더 높습니다.

더욱이, ESG 경영을 지향하는 스타트업은 많은 투자자들이 지속 가능성 자격을 갖춘 기업에 프리미엄을 지불할 의향이 있기 때문에 자본에 대한 더 좋은 접근방법으로 볼 수 있습니다. ESG 경영을 반영함으로써 스타트업은 장기적이고 지속 가능한 성장에 대한 의지를 보여주고 향후 자금 조달에 유리한 위치를 확보할 수도 있습니다.

브랜드 차별화 및 고객 충성도: 환경 및 사회 문제에 대한 대중의 인식이 높아짐에 따라 소비자는 자신의 가치에 부합하는 비즈니스를 지원하려는 경향이 더 커졌습니다. ESG 경영을 도입하는 스타트업은 이러한 환경을 활용하여 경쟁 시장에서 차별화할 수 있습니다.

지속 가능한 경영을 채택하고 사회적 책임을 추구하며 올바른 거버넌스를 지향함으로써 스타트업은 전통적인 가격 및 제품 품질 고려 사항을 뛰어넘는 브랜드 충성도를 구축할 수 있습니다. 이러한 충성도는 탄탄한 고객 기반, 단골 고객, 긍정적인 입소문으로 이어지는 경우가 많으며, 이는 경쟁시장에서 입지를 구축하기 위해 노력하는 스타트업에게 매우 중요합니다.

혁신 및 장기적 생존 가능성: ESG 경영원칙은 스타트업 내 혁신의 중요한 동인이 될 수 있습니다. 환경적, 사회적 기준을 충족하려는 도전은 창의적인 솔루션을 자극하며, 특별하고 지속 가능한 제품이나 서비스의 개발로 이어집니다.

혁신에 대한 이러한 기준은 즉각적인 시장 수요에 대한 요구를 충족할 뿐만 아니라 스타트업이 미래의 과제에 대비하여 소비자 선호도와 규제 환경이 빠르게 변화하는 시장에서 장기적인 생존 가능성을 준비할 수 있습니다. 또한 ESG경영을 도입하게 되면 새로운 시장과 고객 부문, 특히 환경적, 사회적으로 의식이 있는 고객을 타겟 할 수 있습니다.

규제 준수 및 위험 관리: 스타트업의 경우 ESG 표준을 조기에 도입하면 향후 규제 변화에 대비한 보호 장치 역할을 할 수 있습니다. 전 세계 정부가 지속 가능성 관련 규제를 점점 더 많이 시행함에 따라, ESG 프레임워크가 사전 확립된 스타트업은 이러한 변화에 더 잘 적응할 수 있는 위치에 설 수 있습니다.

또한 ESG 경영은 환경 위험, 사회적 반발, 거버넌스 이슈들을 포함한 다양한 위험을 구분하고 준비하는 데 도움이 됩니다. 이러한 위험을 사전에 대비함으로써 스타트업은 규정 위반으로 인해 발생할 수 있는 많은 비용이 드는 법적 및 평판 문제에 대한 준비를 할 수 있습니다.

인재 유치 및 직원 참여: 현대 인력, 특히 MZ세대 사이에서는 사회적, 환경적 책임을 다하는 회사에서 일하고 싶은 욕구가 점차 확산되고 있습니다. 강한 ESG경영 의지를 지닌 스타트업은 이러한 가치에 기준을 둔 열정적인 인재를 유치할 가능성이 높습니다.

이러한 개인 가치와 기업 가치의 조화는 직원 참여도, 생산성 및 유지 수준을 높일 수 있습니다. 결과적으로, 헌신적이고 의욕적인 인력을 유치하는 것은 신생 기업에 매우 중요하며, 혁신에 대해 빠르게 적응하는 능력이 성공의 열쇠인 경우가 많습니다.

운영 효율성 및 비용 절감: ESG경영을 실행하면 스타트업의 운영 효율성이 향상되고 비용을 절감할 수 있습니다. 지속 가능한 경영은 에너지 소비 감소, 폐기물 발생 감소 및 보다 효율적인 자원 사용으로 이어집니다. 이러한 개선을 통해 비용 절감으로 이어질 수 있으며, 이는 제한된 예산으로 운영되는 스타트업에 유용한 방안이 될 수 있습니다.

또한 효율적인 운영과 지속 가능한 공급망 관리는 시장 변동 및 공급망 중단에 대한 스타트업의 탄력성을 향상시켜 안정적이면서도 어려운 경제 상황에서 경쟁 우위를 차지할 수 있습니다.

요약하자면, ESG 경영은 단순한 추세가 아니라 견고하고 미래 지향적이며 경쟁력 있는 스타트업을 구축하는 근본적인 방안입니다. ESG경영 원칙을 운영에 반영함으로써 스타트업은 사회와 환경에 긍정적으로 기여할 뿐만 아니라 자금 조달, 브랜딩, 혁신, 규제 준수, 인재 관리 및 운영 효율성 측면에서 전략적 이점을 확보할 수 있습니다. 이러한 이점은 점점 더 의식이 높아지는 글로벌 시장에서 스타트업의 장기적인 성공과 지속 가능성을 성장시켜 나갈 것입니다.

제3장

글로벌 ESG 경영 표준

- ESG 관련 가이드라인

　글로벌 ESG 경영 표준은 조직이 지속 가능성 이니셔티브를 투명하게 보고하도록 안내하여 이해관계자가 정보에 입각한 결정을 내릴 수 있도록 지원하고 있습니다. 각 표준에는 ESG 영역에서 조직의 영향과 성과에 대한 포괄적인 자료를 제공하고 있습니다.

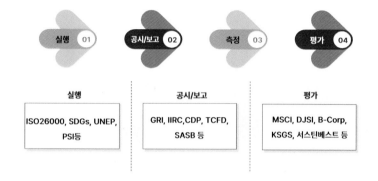

주요 기구들에 대해서 자세히 알아보겠습니다.

- GRI Standards (Global Reporting Initiative)

국제기구 Global Reporting Initiative(GRI)로 1997년 미국 보스턴에서 설립된 비영리단체로, 기업들의 지속가능보고서 작성에 대한 가이드라인을 제공하는 역할을 합니다.

GRI 표준은 조직이 지속 가능성 영향을 구조화되고 투명하게 보고할수 있도록 설계된 프레임워크입니다. 최신 버전인 GRI 유니버설 표준2021은 현재의 글로벌 모범 사례와 신흥 규제 요구 사항, 특히 인권 및환경적 실사와 관련된 내용에 더 잘 부합하도록 개정되었습니다.

GRI의 최신 분류체계는 기업이 지속 가능성에 대한 영향을 투명하게 보고할 수 있도록 지원하는 세 가지 주요 시리즈로 구성된 모듈식 시스템입니다.

유니버설 표준(Universal Standards): 모든 조직에 적용되며, 책임 있는 비즈니스 행동에 대한 권위 있는 정부 간 기구의 기대를 반영합니다. 유엔 인권 지침, 경제협력개발기구(OECD) 다국적 기업 가이드라인, OECD 책임 있는 비즈니스 수행을 위한 실사 가이드라인 등을 포함한 인권 존중 및 환경적 실사에 대한 정책 약속, 불만 처리 메커니즘, 이해관계자 참여, 실사 과정 등에 대한 최소 보고 요구 사항이 포함되어 있습니다.

섹터 표준(Sector Standards): 특정 산업 분야의 영향에 대한 보고를 위해 도입되었습니다. GRI는 40개 다른 섹터 표준을 발표할 계획이며, 해당 섹터 표준을 사용하는 조직은 자신들의 주요 영향과 관련된 정보를 보고해야 합니다.

토픽 표준(Topic Standards): 31개 표준으로 나누어진 토픽 표준은 경제적, 환경적, 사회적 시리즈 대신 개별 주제별로 관련 공시를 설명합니다.

❶ 설립 배경: 1989년 미국이 대형 유조선의 좌초로 인한 환경오염 발생으로 인해 기업의 환경적 책임에 대한 관심이 고조되고 미국의 환경단체인 세리즈(CERES) 사고의 재발을 막기 위해 1997년 국제연합환경계획(UNEP)과 협약을 맺어 설립

❷ 목적: 설립 초기 세리즈의 환경책임 원칙에 근거해 기업들의 사회책임을 다하는 책임구조를 만드는 것이었으나, 환경뿐 아니라 경제, 사회, 환경, 경영구조 등 전 영역을 포함시키는 기업의 주변환경을 보고하는 지속가능보고서를 제대로 작성하는 일에 중점

❸ 보고서 가이드라인은 3~4년마다 개정되고 있으며 기업들의 의무사항이 아니지만 GRI를 통해 보고서를 낸 기업에 대한 국제적 평가는 높음 (현재는 GRI STANDARDS 가이드라인을 따름)

GRI 표준의 개정은 기존의 공시 프레임워크와 책임 있는 비즈니스 관행에 대한 정부 간 기대 사이의 격차를 좁히기 위해 이루어졌습니다. 개정안은 회사의 사회 및 환경 영향에 대한 전반적인 투명성을 향상시키는 것을 목표로 합니다.

개정된 GRI 표준을 채택함으로써, 지속 가능성 영향을 더 엄격하게 식별, 평가 및 보고할 수 있게 됩니다. 이를 통해 중요성에 따라 보고되는 주제를 파악하고, 이해관계자 참여와 실사를 강조하여 기업에 미치는 영향을 관리할 수 있습니다.

지속 가능성 보고가 핵심 비즈니스 전략에 점점 더 통합됨에 따라,

GRI 표준은 회사가 지속 가능성 성과를 신뢰할 수 있는 방식으로 공개할 수 있도록 지원하는 중요한 방안로 자리 잡고 있습니다. 이는 EU 기업 지속 가능성 보고 지침(CSRD)과 같은 신흥 규제 준수를 포함할 뿐만 아니라 이해관계자들의 회사에 대한 투명성과 책임에 대한 기대에 부응할 수 있습니다.

이러한 개정은 조직이 경제, 환경, 사회에 미치는 영향에 대해 보다 명확하게 보고하도록 하여, 지속 가능성 보고를 통해 재무 및 가치 창출 보고에 필수적인 정보를 제공합니다. 따라서, GRI 표준은 지속 가능한 발전을 위한 중요한 공공 이익 활동으로서의 지속 가능성 보고의 중요성을 강조합니다.

더 자세한 정보와 GRI 표준의 적용에 대한 지침은 Global Reporting Initiative 공식 웹사이트와 KPMG 스위스에서 확인할 수 있습니다.

- *SASB (Sustainability Accounting Standard Board)*

지속가능성 회계기준위원회(SASB)는 지속가능성 회계기준을 개발하기 위해 2011년에 설립된 비영리 단체입니다. 이는 기업이 재정적으로 중요한 지속 가능성 정보를 투자자에게 공개하도록 돕는 것을 목표로 합니다.

SASB 표준은 환경, 사회 및 거버넌스(ESG) 주제에 대한 산업별 공개에 중점을 두고 있어 기업과 투자자 간의 중요한 정보에 대한 커뮤니케이션을 가능하게 합니다. 이러한 표준은 전 세계적으로 적용 가능하며 재정적 중요성을 강조하여 정보가 전 세계 기업 전반에 걸쳐 관련성 있고 신뢰할 수 있으며 비교 가능하도록 보장합니다.

2021년 SASB는 국제통합보고위원회(International Integrated Reporting Council)와 결합하여 Value Reporting Foundation을 설립했으며, 이후 2022년에 IFRS 재단의 국제 지속가능성 표준 위원회(ISSB)와 통합되었습니다.

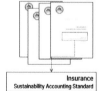

Insurance
Sustainability Accounting Standard

주요 세부지표

- 환경 리스크 노출 관리
  - 자연재해 리스크 및 손실액 관리
- 책임감 있는 행동 장려
  - 환경 및 사회 친화적 기업 인센티브 부여
  - 주요 사회적 책임 상품 외부 공시

- 계획 성과
  - 고객 유지율, 클레임 해결 평균 리드타임 등
- 투자 관리 측면의 ESG 항목 반영
  - 투자 정책 내 ESG 요소 반영
  - 투자 포트폴리오 관리 시 기후변화, 인권 등 CSR 리스크 관리 방법

의의

- ESG 중요성 기준(ESG Materiality Standards) 마련
- 각 TOPIC별 공시가 요구되는 구체적인 지표(What)에 대한 부분
- '20년 11월 IIRC와 합병하여, '21년 중반까지 Value Reporting Foundation 설립하여 종합적 기업비재무정보 공시 표준 제고 예정

SASB Conceptual Framework

*출처: SASB 홈페이지

- *TCFD(Task Force on Climate-Related Financial Disclosure)*

    G20 국가의 재무부 장관들과 중앙은행 총재들이 설립한 금융안정위원회(Financial Stability Board)에서 파생된 기구로, 금융/비금융섹터 이해관계자의 기후변화 리스크/기회 파악 및 재무적 영향에 대한 이해 증진을 목적으로 운영됩니다.

TCFD는 기업이 기후 변화와 관련된 재무 위험을 공개할 수 있는 프레임워크를 제공합니다.

거버넌스, 전략, 위험 관리, 지표 및 목표의 네 가지 영역을 강조하여 기업이 운영 및 완화 및 적응 전략에 대한 기후 관련 영향을 평가하고 공개하도록 장려합니다.

❶ 기후관련 재무정보공개 협의체 권고안으로, 기후변화가 미치는 기업의 재무적 영향 공개를 위한 프레임워크 및 권고를 위해, G20재무장관과 중앙은행 총재가 설립한 FSB(금융안전위원회)에서 15년에 발족

❷ TCFD권고안(TCFD Recommendation)을 통해 기업 내외 이해관계자들이 기후변화가 불러올 잠재적 기회/리스크를 파악하고이에 대한 행동을 취할 수 있는 역할 제공

❸ 최근 많은 국내외 기업들은 TCFD에 가입(전세계 1,900여개 기업과 단체 가입, 국내 환경부, 한국거래소 등 34개사 가입중)

❹ 최근 보고서에 TCFD를 언급한 기업 전년도 39% 증가(기업투자자 전문지 IR magazine) 탄소정보공개프로젝트(CDP)와 높은 연계성으로 세계적인 표준으로 급부상

거버넌스	전략	리스크 관리	지표 및 목표
a) 조직 내 이사회 차원에서의 기후변화 리스크/기회 관리 방안을 설명	a) 기업의 단기, 중기, 장기 기후변화 리스크/기회를 상세히 설명	a) 기업의 기후변화 리스크 파악 및 평가 방식 설명	a) 기업이 기후변화 리스크 및 기회 평가에 사용한 정량적 지표를 공개
b) 경영진의 기후변화 리스크/기회 관리 및 평가 과정에 설명	b) 기후변화 리스크/기회가 기업의 사업, 전략, 재무계획에 미치는 영향을 설명	b) 기업의 기후변화 리스크 관리 과정에 대해 설명	b) 온실가스(GHG) Scope1/2 (Scope 3은 권장사항)에 대한 배출량을 공개하고 이에 대한 리스크를 서술
	c) 미래 여러 기후변화 시나리오에 따른 기업의 전략 및 유동성 설명	c) 기후변화 리스크 파악/평가/관리가 기업 전체의 리스크 관리 시스템에 통합된 방식을 설명	c) 기후변화 리스크/기회에 대한 기업의 목표를 서술하고 이에 대한 성과를 공개

- *MSCI (Morgan Stanley Capital International)*

MSCI (Morgan Stanley Capital International)는 ESG 평가의 대표적인 기관으로, 전 세계 약 8,500여 개 기업의 ESG 성과를 평가합니다. 이 평가는 기업의 핵심 비즈니스와 산업 전반에 영향을 줄 수 있는 37개의 주요 이슈를 기반으로 하며, 데이터는 ESG 정책, 프로그램의 성과 등 1,000여 개의 지표에서 수집됩니다. MSCI는 이 데이터를 분석하여 AAA부터 CCC까지의 등급을 4단계로 나누어 기업에 부여합니다. 이 등급 시스템은 기업들의 ESG 위험 및 기회를 평가하는 데 중요한 기준을 제공하며, 투자자들이 투자 결정 과정에서 ESG 요소를 고려할 수 있도록 지원합니다. 세계 최대 자산운용사인 블랙록을 비롯한 많은 글로벌 기업들이 MSCI ESG 등급을 투자 참고 자료로 활용하고 있으며, 이로 인해 MSCI ESG 등급은 전 세계적으로 주목받고 있습니다.

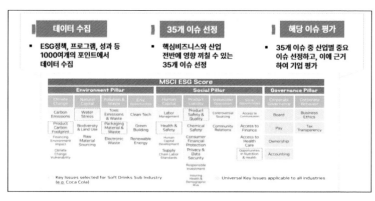

– K-ESG가이드라인

K-ESG 지침은 한국 기업들이 지속 가능한 경영을 실현하고, 환경 (Environmental), 사회(Social), 지배구조(Governance) 분야에서의 성과를 체계적으로 관리하고 공시할 수 있도록 마련된 가이드라인입니다. 이 가이드라인은 기업들이 ESG 관련 리스크를 효과적으로 관리하고, 투자자 및 이해관계자와의 소통을 강화하여 기업 가치를 제고하기 위해 마련되었습니다. 4개 영역, 27개 범주, 61개 기본 진단 항목으로 구분하고 있으며, 다음과 같은 핵심 요소로 구성됩니다:

ESG 핵심 이슈 도출: 국제 표준과 벤치마킹을 통해 ESG 관련 이슈를 식별하고, 관련성 및 중대성 평가를 통해 우선 순위를 정합니다. 이 과정에서 기업은 자신들에게 중요한 ESG 핵심 이슈를 도출하게 됩니다.

ESG 전략 방향성 도출: 도출된 ESG 핵심 이슈를 바탕으로 현재 조직의 상황과 외부 요구 사항을 분석하여 대응 전략을 수립합니다. 이를 통해 3대 전략 방향성을 설정하며, 이는 조직의 ESG 경영을 지향하는 기본 틀이 됩니다.

ESG 전략과제 도출: 3대 전략 방향성에 따라 구체적인 전략과제를 설정합니다. 이 과정에서 실행 가능성과 효과성을 검토하여 최종적으로 우선순위를 가지는 ESG 전략과제를 선정합니다.

ESG 전략체계 구축: 조직의 비전 달성을 지원하기 위해 ESG 목표, 전략 방향성, 전략과제, 실행과제, 성과지표 등을 포함하는 전략체계를 수립합니다. 이 체계는 조직이 ESG 경영을 체계적으로 추진하는 데 기반이 됩니다.

ESG 추진 수준: ESG 경영의 추진 수준은 법규 준수에서 시작하여 경영 전략과 완전히 통합된 수준까지 성장할 수 있습니다. 조직은 이를 통해 ESG 관련 활동의 범위와 깊이를 확대하고, 경영 전략에 ESG 요소를 통합할 수 있습니다.

K-ESG 지침은 한국 기업들이 ESG 경영을 체계적으로 접근하고 실천할 수 있는 구체적인 방법을 제공합니다

http://www.k-esg.or.kr

제2부

환경(Environment) 관리 전략

제4장

친환경 기술 개발과 혁신

– 지속 가능한 혁신 전략이란

　지속 가능한 혁신 정의: 경쟁 우위를 제공할 뿐만 아니라 지속 가능한 경제에 기여하고 환경 영향을 완화하는 동시에 사회적 복지를 촉진하는 새로운 제품, 서비스, 프로세스 또는 비즈니스 모델을 개발하는 프로세스입니다.

– 친환경 기술의 최근 동향:

　친환경 기술의 최근 트렌드는 여러 부문에서 지속 가능성을 향한 움

직임이 커지고 있음을 반영합니다. 자세한 내용을 살펴보겠습니다.

재생 에너지 기술:

태양광 발전: 양면 태양광 패널, 수상 태양광 발전소 및 솔라 스킨과 같은 혁신이 등장했습니다. 양면 패널은 양쪽에서 햇빛을 포착하여 효율성을 높이는 반면, 수상 태양광 발전소는 수역을 활용하여 토지를 보존합니다.

풍력 에너지 혁신: 더 높은 풍력 터빈 타워와 더 큰 블레이드의 개발로 더 높은 고도에서 바람을 포착하여 더 많은 에너지를 생성할 수 있게 되었습니다. 해상 풍력 발전 단지는 해상에서 더 안정적인 바람의 혜택을 받으며 확장되고 있습니다.

에너지 저장 솔루션:

배터리 기술: 리튬 이온 배터리는 에너지 밀도와 충전 속도가 향상되고 있으며 전고체 배터리에 대한 연구는 보다 안전하고 효율적으로 에너지를 저장할 수 있습니다.

대체 스토리지: 대규모 스토리지에 이상적인 플로우 배터리와 과도한 에너지를 사용하여 무게를 들어 올리는 중력 저장 솔루션과 같은 새로운 기술이 주목을 받고 있습니다.

지속 가능한 운송:

전기 자동차(EV): 배터리 수명 개선 및 충전 시간 단축을 포함한 EV 의 급속한 발전으로 인해 접근성이 높아지고 있습니다. 전기 버스와 트 럭도 개발되었습니다.

수소 연료 전지: 수소 연료 전지로 구동되는 차량은 배터리에 대한 고 에너지 대안을 제공하며 유일한 배출은 수증기입니다.

친환경 건축 자재 :

바이오 기반 재료: 균류로 만든 균사체 복합재와 같은 재료는 단열재 및 구조 부품에 사용되고 있습니다. 대마 섬유로 만든 헴프크리트는 기 존 콘크리트 보다 가볍고 생분해성을 포함하고 있습니다.

재활용 재료: 재활용 플라스틱 벽돌과 패널은 건설에 사용되어 폐기 물과 건물의 탄소 발자국을 줄이고 있습니다.

순환 경제 기술:

폐기물 에너지화: 혐기성 소화조와 같이 폐기물을 에너지로 전환하는 기술은 매립지 사용을 줄이고 재생 가능한 에너지원을 제공합니다.

재활용 혁신: AI 기반 폐기물 인식 시스템과 같은 향상된 분류 기술은 재활용률과 재료 회수율을 개선하고 있습니다.

물 절약 및 관리:

스마트 물 시스템: IoT 지원 물 관리 시스템은 농업 및 도시 환경에서 물 사용을 모니터링하고 최적화하는 데 도움이 됩니다.

담수화 및 정화: 태양열 및 그래핀 기반 여과를 포함한 담수화의 발전으로 담수에 대한 접근성이 높아지고 있습니다.

농업 혁신:

정밀 농업: 드론과 위성 영상은 작물 상태를 모니터링하고, 물 사용을 최적화하고, 살충제 사용을 줄이는 데 사용됩니다.

친환경 소비재:

생분해성 플라스틱: 환경에서 더 빨리 분해되는 플라스틱을 개발하며, 일부는 식물 기반 재료로 만들어집니다.

지속 가능한 패션: 패션 산업은 환경 발자국을 줄이기 위해 재활용 소재와 윤리적 생산 방식으로 전환하고 있습니다.

2024년의 주요 동향은 녹색 기술의 최신 동향은 탄소 배출을 줄이고 다양한 부문에서 지속 가능한 성장을 촉진하는 것을 목표로 하는 혁신이 강조되고 있습니다.

동 향	설 명
저탄소 건설	친환경 소재와 옥상 태양광 패널과 같은 에너지 생성 방법을 사용하여 탄소 배출을 줄이는 지속 가능한 건물입니다.
탄소 포집 및 저장	확장성과 비용 효율성을 목표로 발전하여 대기에서 탄소를 제거하는 기술입니다.
신재생에너지 저장 장치	재생 가능 에너지의 일관된 가용성을 보장하기 위해 최소한의 비용으로 장기간 청정 에너지를 저장하는 혁신입니다.
수소 연료	수소 연료전지 전기 자동차는 내연기관 자동차에 대한 효율적이고 배출가스 없는 대안을 제공하며, 운송 부문에서 상당한 채택 가능성을 갖고 있습니다.
업사이클링(순환형 폐기물 관리)	폐기물을 새롭고 사용 가능한 재료나 제품으로 변환하고, 폐기물을 최소화하며, '폐기물'이 새로운 것을 위한 원료가 되는 순환 경제를 지원합니다.

출처 : Bold use of green tech can foster a new era of sustainable growth | World Economic Forum (weforum.org)

이러한 추세는 환경 영향을 완화할 뿐만 아니라 새로운 비즈니스 기회와 경제적 이익을 제공하는 기술과 관행으로의 전환을 강조합니다. 이러한 녹색 기술을 구현하면 비용 절감, 효율성 향상, 브랜드 이미지 향상, 글로벌 지속 가능성 목표와의 더 나은 연계로 이어질 수 있습니다.

아이디어 생성: 새로운 아이디어를 높이 평가하고 지속 가능성의 잠재력을 핵심 고려 사항으로 삼는 스타트업 내 창의성 문화를 장려합니다.

연구 및 개발(R&D): 특허를 받을 수 있고 경쟁 우위를 제공할 수 있는 새로운 친환경 기술 및 프로세스를 탐색하기 위해 R&D에 투자합니다.

이해관계자 참여: 고객, 공급업체 및 기타 파트너와 협력하여 혁신 노력을 보다 광범위한 ESG 목표 및 시장 요구 사항에 맞춰 조정합니다.

위험 평가 및 관리: 위험을 관리하고 관련 ESG 표준 준수를 보장하기 위해 혁신이 환경 및 사회적 영향을 평가합니다.

시장 분석: 지속 가능한 제품 및 서비스에 대한 시장 수요를 이해하여 혁신 노력이 소비자 선호도 및 지불 의향과 일치하는지 확인합니다.

자금 및 자원: 녹색 금융, 정부 보조금, 민간 투자 등을 통해 지속 가능성 중심의 혁신 프로젝트를 위한 자금을 확보합니다.

파일럿 프로젝트: 대규모 출시 전에 지속 가능한 혁신의 실행 가능성을 테스트하기 위해 소규모 파일럿 프로젝트를 구현합니다.

피드백 루프: 피드백을 수집하고 혁신의 지속 가능성 측면을 지속적으로 개선하는 메커니즘을 확립합니다.

투명성 및 보고: 회사의 혁신 프로세스와 지속 가능성 영향에 대해 투명하게 소통하여 이해관계자와의 신뢰를 구축합니다.

확장 및 상업화: 공급망, 유통 및 마케팅 전략을 고려하여 성공적인 지속 가능 혁신의 확장을 계획합니다.

지속 가능한 혁신에 데이터 통합: 최신 데이터는 지속 가능한 혁신 전략의 모든 단계에 정보를 제공해야 합니다. 데이터 분석은 스타트업이 흐름을 이해하고, 수요를 예측하고, 리소스 사용을 최적화하고, 혁신의 영향을 측정하는 데 도움이 될 수 있습니다.

지속 가능한 혁신 전략을 통해 스타트업은 친환경 기술 개발의 최전선에 성장, 시장 리더십 및 긍정적인 ESG 기여를 위한 발판을 마련할 수 있습니다. 혁신이 비즈니스 목표와 지속 가능성 목표 모두에 부합하도록 하려면 장기 비전과 단기 타당성 사이의 균형이 필요합니다.

제5장

지속 가능한 운영 관리

– 에너지 및 자원 효율 개선:

스타트업은 에너지 및 자원 효율성을 향상하기 위한 다양한 전략을 구현하여 환경 발자국과 운영 비용을 줄일 수 있습니다.

에너지 감사: 에너지가 낭비되는 영역을 식별하기 위해 포괄적인 에너지 감사를 수행하는 것으로 시작합니다. 이러한 감사는 조명, 난방, 냉방 및 장비 작동의 효율성 개선 기회를 포착할 수 있습니다. 비효율성을 정확히 찾아냄으로써 스타트업은 목표 솔루션을 개발할 수 있습니다.

재생 에너지 통합: 재생 가능 에너지원을 반영하는 것은 지속 가능한 경영을 위한 선택입니다. 스타트업은 시설에 태양 전지판을 설치하거나, 풍력 에너지를 활용하거나, 기타 재생 가능 기술에 투자하는 것을 고려할 수 있습니다. 이러한 투자에는 초기 자본이 필요할 수 있지만 장기적으로 상당한 비용을 절감하고 화석 연료에 대한 의존도를 줄일 수 있습니다.

에너지 효율적인 장비: 에너지 효율적인 기계 및 장비로 업그레이드하십시오. 성능을 최적화하기 위해 모든 장비가 잘 관리되고 있는지 확인하십시오. 최신 장비에는 에너지 절약 기능이 결합되어 있어 에너지 소비를 크게 줄일 수 있습니다.

자원 최적화: 린(Lean) 제조 원칙을 적용하여 폐기물과 자원 소비를 줄일 수 있습니다. 스타트업은 과잉 원자재를 최소화하고, 생산 공정을 최적화하여 스크랩을 줄이고, 적시 재고 관리를 실행하여 과잉 재고를 방지하는 것을 목표로 해야 합니다.

물 효율성: 물은 귀중한 자원이며, 스타트업은 물 절약 기술을 반영할 수 있습니다. 저유량 설비, 효율적인 관개 시스템 및 빗물 집수는 물 소비를 최소화하는 데 도움이 될 수 있습니다.

- 환경보호를 위한 운영관리:

운영 관리를 통해 환경을 보호하기 위해 스타트업은 다음과 같은 전략을 고려해야 합니다.

폐기물 최소화: 재활용, 재사용 및 퇴비화를 포함하는 폐기물 감소 전략을 구축합니다. 구체적인 폐기물 감소 목표를 설정하고 진행 상황을 정기적으로 관리합니다. 폐기물 발생을 최소화함으로써 스타트업은 폐기 비용을 줄이고 순환 경제에 기여할 수 있습니다.

공급망 지속 가능성: 지속 가능성을 우선시하는 공급업체와 협력합니다. 환경시스템을 기반으로 공급업체를 평가하고 친환경 재료와 제품을 공급합니다. 공급업체가 지속 가능성 목표에 부합하도록 하면 공급망 전반에 걸쳐 긍정적인 영향을 확대할 수 있습니다.

친환경 포장: 포장은 환경에 미치는 영향에 중요한 역할을 합니다. 스타트업은 친환경 소재를 사용하고, 과잉 포장을 최소화하고, 재활용이 가능한 포장재를 반영하여 포장 폐기물을 줄일 수 있습니다. 고객이 포장재를 재활용하거나 반환하도록 권장하면 폐기물을 더욱 줄일 수 있습니다.

환경 규정 준수: 환경 규정에 대한 정보를 유지하고 준수하는 것이 중요합니다. 스타트업은 지역, 국가 및 국제 환경법을 준수하는지 확인하기 위해 정기적인 환경 평가를 수행해야 합니다. 규정을 준수하지 않을 경우 벌금이 부과되고 회사의 평판이 손상될 수 있습니다.

직원 교육: 직원 참여는 지속 가능한 운영의 성공에 매우 중요합니다. 스타트업은 폐기물 감소, 에너지 절약, 책임 있는 자원 관리 등 환경 모범 사례에 대해 직원을 교육하는 교육 프로그램을 제공해야 합니다.

친환경 인증: 환경 보호에 대한 약속을 보여주는 친환경 인증 및 라벨을 고려하십시오. 이러한 인증은 브랜드의 명성을 높이고 환경을 생각하는 고객을 유치할 수 있습니다

제6장

스타트업의 환경 경영 사례 연구

- 환경 경영 사례

1.Tesla, Inc.: 전기자동차 및 재생 에너지

분야: 전기 자동차 및 재생 에너지

설명: Tesla, Inc.는 전기 자동차(EV) 및 지속 가능한 에너지 솔루션 분야에서 선도적인 역할을 하는 혁신적인 기업입니다. 일론 머스크가 주도하는 이 회사는 전기 자동차의 대중화, 자율 주행 기술의 개발, 태양광에너지 및 에너지 저장 솔루션을 통한 지속 가능한 에너지의 활용에 주

력하고 있습니다. Tesla의 주요 활동과 특징은 다음과 같습니다.

전기 자동차: 고성능 전기 자동차를 생산함으로써 전기차 산업의 혁신을 주도하고 있습니다. Model S, Model 3, Model X, Model Y 등 다양한 모델을 제공하며, 이들 차량은 뛰어난 주행 거리, 우수한 성능, 고급스러운 디자인으로 인정받고 있습니다. Tesla는 전기차의 대중화를 목표로 하며, 이를 위해 가격 대비 성능이 뛰어난 Model 3와 같은 보다 저렴한 모델을 출시하였습니다.

자율 주행 기술: 자율 주행 기술의 개발에도 큰 투자를 하고 있으며, 이 기술은 Tesla의 모든 차량에 반영되고 있습니다. 이는 안전성을 높이고 운전자의 편의를 증진시키는 데 기여합니다. Tesla의 자율 주행 시스템인 Autopilot과 Full Self-Driving(FSD)은 지속적인 업데이트와 개선을 통해 더욱 발전하고 있습니다.

태양광 에너지 및 에너지 저장: 태양광 패널 및 태양광 지붕 타일을 통해 가정 및 사업장에 대한 지속 가능한 에너지 솔루션을 제공합니다. 이러한 제품은 에너지 효율성을 높이고 환경 영향을 줄이는 데 중점을 두고 있습니다. 또한, Powerwall, Powerpack, 그리고 Megapack과 같은 에너지 저장 솔루션을 개발하여 태양광 에너지의 저장과 활용을 최적화하고 있습니다.

지속 가능한 에너지에 대한 비전: 장기적인 목표는 지속 가능한 에너지의 사용을 촉진하고, 화석 연료에 대한 의존도를 줄여 환경 보호 및 기후 변화 대응에 기여하고자 합니다.

Tesla는 혁신적인 기술과 지속 가능한 에너지 솔루션을 통해 자동차 및 에너지 산업의 패러다임을 변화시키고 있으며, 그 과정에서 전 세계적으로 큰 영향력을 발휘하고 있습니다. 이 회사는 기술의 진보와 환경 보호라는 두 가지 중요한 목표를 동시에 추구하며, 이 분야의 선두주자로 자리매김하고 있습니다.

https://www.tesla.com/

2. Beyond Meat, Inc.:

분야: 식품 및 식품 대체 제품

설명: Beyond Meat은 식물 기반의 대체육 제품을 생산하는 미국 회사로, 지속 가능한 식품 생산 방식에 중점을 두고 있습니다. 2009년에 설립된 이 회사는 육류의 맛과 질감을 모방하는 식물성 제품을 제공함으로써 전통적인 동물 기반 육류의 대안을 제시하고 있습니다. Beyond Meat의 주요 활동과 특징은 다음과 같습니다.

식물 기반 대체육 제품: Beyond Meat의 제품은 완전 식물성 재료로 만들어져 있으며, 이는 콩, 완두, 갈색 쌀, 감자 등의 식물성 단백질을 주요 성분으로 사용합니다. 소고기, 돼지고기, 닭고기 등 전통적인 육류 제품의 대안으로 사용될 수 있는 다양한 제품을 개발했습니다. 버거 패티, 소시지, 미트볼 등이 있습니다.

지속 가능한 식품 생산: 이 기업의 비전은 환경적으로 지속 가능한 방식으로 식품을 생산하는 것입니다. 식물 기반의 육류 대체품은 전통적인 동물 기반 육류에 비해 물, 땅, 에너지 사용을 줄이고, 온실가스 배출을 감소시키고 있습니다. 회사는 지속 가능한 식품 시스템을 통해 기후변화, 동물 복지, 인간 건강 문제에 대응하고자 합니다.

혁신적인 연구 및 개발: 식품 과학과 기술 혁신에 중점을 두고 있으며, 식물성 단백질을 사용하여 육류와 유사한 맛, 질감, 영양 가치를 구현하기 위해 지속적으로 연구하고 있습니다. 자체 연구 개발 팀을 보유하고 있으며, 제품의 품질과 다양성을 지속적으로 개선하기 위해 노력하고 있습니다.

시장 확장 및 파트너십: Beyond Meat은 미국뿐만 아니라 전 세계적으로 시장을 확장하고 있으며, 소매점, 레스토랑, 패스트푸드 체인 등 다양한 채널을 통해 제품을 판매하고 있습니다. 또한, 다양한 기업 및 브랜드와의 파트너십을 통해 식품 산업 내에서의 입지를 강화하고 있습니다.

Beyond Meat은 식물 기반 육류 대체품의 선두 주자로서, 환경 보호, 동물 복지, 건강한 식습관 등 현대 사회가 직면한 여러 도전에 대응하는 혁신적인 방안을 실행하고 있습니다. 이 회사의 성공은 소비자들 사이에서 식물 기반 식품에 대한 수요가 증가하고 있음을 보여주고 있으며, 지속 가능한 미래를 향한 식품 산업의 변화에 앞장서고 있습니다.

https://www.thespruceeats.com/what-is-beyond-meat-and-how-is-it-used-4800134

3. Power Ledger:

분야: 블록체인 및 태양 광 발전 관리

설명: Power Ledger는 호주 퍼스에 기반을 둔 기술 기업으로, 주로 블록체인 기술을 활용하여 에너지 거래와 분산된 에너지 자원 관리에 혁신을 가져오고 있습니다. 2016년에 설립된 이 회사는 에너지 시장에서의 투명성을 높이고, 재생 가능 에너지의 활용을 촉진하는 다양한 솔루션을 제공합니다. Power Ledger의 주요 활동과 특징은 다음과 같습니다.

블록체인 기반 에너지 거래 플랫폼: Power Ledger의 플랫폼은 블록체인 기술을 활용하여 에너지 거래를 가능하게 합니다. 이는 에너지 생산자와 소비자 간의 직접적인 거래를 지원하여, 중간 단계를 최소화하고 효율성을 높입니다. 이 플랫폼을 통해 사용자들은 잉여 태양광 에너지를 이웃이나 지역사회에 판매할 수 있으며, 이는 재생 가능 에너지 사용을 활성화합니다.

분산된 에너지 자원 관리: 분산된 에너지 자원(DER) 관리를 위한 솔루션을 제공합니다. 이를 통해 소규모 에너지 자원의 통합과 최적화가 가능해지며, 전체 에너지 네트워크의 효율성과 안정성이 향상됩니다. 이러한 시스템은 스마트 그리드와 마이크로그리드의 구축 및 관리에도 중요한 역할을 합니다.

투명성 및 신뢰성: 블록체인 기술은 거래의 투명성과 신뢰성을 구축합니다. 모든 거래는 블록체인에 기록되며, 이는 변조가 불가능하고 모든 참여자에게 공개됩니다. 이는 에너지 시장에서의 불필요한 중개비용을 줄이고, 사용자에게 더 나은 가격을 제공하게 됩니다.

글로벌 확장 및 파트너십: Power Ledger는 호주 내에서뿐만 아니라 전 세계적으로 사업을 확장하고 있습니다. 다양한 국가와 지역에서의 프로젝트와 시범 사업을 통해 그들의 기술을 적용하고 있습니다. 에너지 회사, 정부 기관, 그리고 다른 기술 기업들과 파트너십을 맺고, 지속 가능한 에너지 솔루션의 개발과 구현에 협력하고 있습니다.

Power Ledger의 블록체인 기반 기술은 에너지 산업의 미래에 혁신적인 변화를 가져오고 있으며, 재생 가능 에너지의 보급 및 지속 가능한 에너지 시스템의 구축에 중요한 기여를 하고 있습니다. 이 회사는 에너지의 민주화를 통해 더 효율적이고 지속 가능한 에너지 시장의 발전을 지향하고 있습니다.

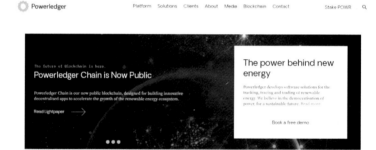

https://www.powerledger.io/

4. Ecovative Design:

분야: 생명 공학 및 친환경 포장 솔루션

설명: Ecovative Design은 지속 가능한 소재 및 제품의 개발에 중점을 두는 혁신적인 환경 기술 회사입니다. 2007년에 설립된 이 미국 기반 회사는 특히 버섯 균사체를 활용한 바이오 기반의 대체 소재를 생산하는 데 주력하고 있습니다. Ecovative Design의 주요 활동과 특징은 다음과 같습니다.

버섯 기반의 바이오 소재: Ecovative Design은 버섯의 균사체를 이용하여 다양한 제품과 소재를 생산합니다. 이 균사체는 자연적으로 발생하는 섬유로, 환경 친화적이면서도 강하고 유연한 소재를 만들 수 있습니다. 이 기술을 통해 제조된 제품에는 포장재, 건축 자재, 가구, 심지어 식용 제품까지 다양하며, 이는 전통적인 플라스틱이나 다른 합성 소재의 대체품으로 사용될 수 있습니다.

지속 가능성 및 환경 보호: Ecovative Design의 소재는 완전히 생분해 가능하며, 환경에 미치는 영향을 최소화합니다. 이러한 소재는 플라스틱 폐기물 감소와 쓰레기 매립지 부하 경감에 도움을 줄 수 있습니다. 버섯 기반 소재의 생산 과정은 에너지 효율적이며, 재생 가능한 자원만을 사용합니다.

혁신적인 연구 및 개발: 회사는 지속적인 연구 및 개발을 통해 새로운 소재와 제품을 개발하고 있으며, 이는 지속 가능한 산업 및 제품 디자인에 혁신을 가져오고 있습니다. Ecovative Design은 특히 생명 공학, 재료 과학, 설계 공학을 결합하여 지속 가능하고 환경적으로 책임 있는 솔루션을 구현합니다.

시장 확장 및 파트너십: 다양한 산업 분야에 걸쳐 파트너십을 맺고 있으며, 그들의 기술과 솔루션을 광범위하게 확산시키고 있습니다. Ecovative Design의 소재는 가구, 건축, 자동차, 포장 산업 등 다양한 분야에서 응용되고 있으며, 이는 전통적인 제조 방식을 친환경적인 대안으로 선택할 수 있습니다.

Ecovative Design의 혁신적인 접근 방식은 지속 가능한 소재 개발을 통해 환경 문제에 대응하고, 산업 전반에 걸쳐 지속 가능한 제조와 소비를 장려하고 있습니다. 이 회사는 자연에서 영감을 얻은 솔루션으로 전통적인 소재와 제조 과정을 변화시키며, 환경적으로 지속 가능한 미래를 향한 중요한 발걸음을 내디디고 있습니다.

5. Carbon Engineering:

분야: 탄소 포집 및 재활용

설명: Carbon Engineering는 캐나다에 본사를 둔 첨단 환경 기술 회사로, 대기 중에서 이산화탄소(CO2)를 직접 포집하여 환경 문제에 대응하는 혁신적인 솔루션을 제공하고 있습니다. 이 회사는 기후 변화에 대응하기 위해 고안된 대기 직접 포집(Direct Air Capture, DAC) 기술을 개발하고 상업화하는 데 중점을 두고 있습니다. Carbon Engineering의 주요 활동과 특징은 다음과 같습니다.

대기 직접 포집 기술: Carbon Engineering는 대기에서 직접 CO2를

포집하는 기술을 개발했습니다. 이 기술은 대기 중의 이산화탄소를 포집하고, 이를 순화하여 저장하거나 다른 용도로 활용합니다. 이 과정은 기후 변화 완화를 위한 중요한 수단으로 여겨지며, 장기적으로 대기 중의 이산화탄소 농도를 감소시킬 수 있는 잠재력을 보유하고 있습니다.

지속 가능한 연료 생산: 포집된 CO_2는 연료 생산에 사용될 수 있습니다. Carbon Engineering는 합성 연료 제조 기술을 개발하여, 포집된 이산화탄소로부터 지속 가능한 합성 연료를 생산합니다. 이러한 합성 연료는 기존 화석 연료와 비교할 때 탄소 배출이 현저히 낮으며, 기존의 차량 및 항공기에 사용할 수 있습니다.

환경적 영향 및 지속 가능성: Carbon Engineering의 기술은 기후 변화 대응에 중요한 역할을 할 수 있습니다. 이 회사는 대기에서 CO_2를 제거하고, 이를 재활용하여 지속 가능한 연료를 생산함으로써 환경에 미치는 영향을 줄이는 데 기여합니다. 이 기술은 재생 가능 에너지와 함께 사용되어 탄소 중립적인 에너지 시스템을 구축하는 데 도움이 될 수 있습니다.

상업화 및 글로벌 파트너십: 기술을 상업화하고, 전 세계적으로 확장하기 위해 여러 파트너십을 맺고 있습니다. 에너지 회사, 정부, 그리고 다른 기술 기업들과의 협력을 말합니다.

회사는 캐나다와 미국을 포함한 여러 지역에서 대규모 시설을 건설하고 운영할 계획을 가지고 있으며, 이는 대기 직접 포집 기술의 상업적 가능성을 입증하는 데 중요한 단계입니다.

Carbon Engineering의 기술은 기후 변화에 대한 혁신적이고 실용적인 대응 방안을 제공하며, 지속 가능한 미래를 향한 중요한 발걸음으로 평가받고 있습니다. 이 회사는 과학과 기술을 결합하여 환경 문제를 해결하는 데 앞장서고 있으며, 그 기술이 가져올 장기적인 영향에 대한 기대가 큽니다.

https://carbonengineering.com/

이러한 스타트업들은 다양한 방식으로 환경 친화적인 기술을 개발하고, 지속 가능한 미래를 위한 솔루션을 제공하며, 동시에 환경 문제와 탄소 배출을 줄이는 활동을 실행하고 있습니다.

– 실패에서 배우는 교훈

스타트업 환경 관리의 맥락에서 실패로부터 배우는 것은 스타트업이 실수를 반복하지 않고 환경 성과를 반영시키는 데 도움을 줄 수 있으므로 중요한 측면입니다. 몇 가지 시나리오를 통해 환경적인 분야의 참고 사항을 검토해 보겠습니다.

1. 명확한 환경 목표 부족:
스타트업이 명확한 환경 목표와 목적을 설정하지 못해 직원들 사이에 혼란이 생기고 지속가능성에 대한 일관성 없는 노력이 초래될 수 있습니다.
참고 : 스타트업은 구체적이고, 측정 가능하고, 달성 가능하고, 관련성이 있으며, 기한이 정해져 있는(SMART) 환경 목표를 정의해야 합니다. 명확한 목표는 노력을 조정하고 지속 가능성 이니셔티브에 대한 로드맵을 제공하는 데 도움이 됩니다.

2. 직원 참여도 부족:

환경 이니셔티브가 직원들로부터 강력한 지지를 받지 못해 열정과 참여가 부족했을 수 있습니다.

참고 : 스타트업은 지속 가능성 노력에 있어 직원 참여를 우선시해야 합니다. 이는 교육, 의사소통, 의사결정 과정에 직원 참여를 통해 달성될 수 있습니다.

3. 부적절한 모니터링 및 측정:

스타트업은 환경 성과를 추적하기 위한 정확한 모니터링 및 측정 시스템을 구현하지 못하므로 지속 가능성 이니셔티브의 영향을 평가하기 어려울 수 있습니다.

참고 : 효과적인 데이터 수집 및 분석은 환경 전략의 성공을 평가하는 데 필수적입니다. 스타트업은 정확한 측정과 보고를 위한 도구와 프로세스를 구현하기위해 투자해야 합니다.

4. 규정 준수 무시:

환경 규정 및 규정 준수 요구 사항에 대한 최신 정보를 유지하지 못하면 법적 문제가 발생하고 스타트업에 벌금이 부과될 수 있습니다.

참고 : 스타트업은 환경법의 변화를 정기적으로 모니터링하고 운영이 관련 규정을 준수하는지 확인하여 규정 준수를 우선시 해야 합니다.

5. 장기적인 지속 가능성보다 단기적인 초점:

일부 스타트업은 장기적인 지속 가능성보다는 단기적인 비용 절감에 중점을 두어 혁신과 성장의 기회를 놓칠 수 있습니다.

참고 : 지속 가능성은 스타트업의 장기적인 성공을 위한 투자로 보아야 합니다. 스타트업은 단기적인 비용 고려 사항과 지속 가능한 관행을 통해 얻을 수 있는 장기적 이익의 균형을 맞춰야 합니다.

6. 시장 변화에 적응하지 못함:

변화하는 시장 수요와 소비자 선호도에 맞춰 환경 전략을 조정하지 못한 스타트업은 관련성이 떨어지는 상황에 직면할 수 있습니다.

참고 : 환경 전략은 변화하는 시장 추세에 민첩하고 대응해야 합니다. 스타트업은 시장 요구를 충족하기 위해 지속 가능성 이니셔티브를 지속적으로 확인하고 조정해야 합니다.

7. 부적절한 의사소통 및 투명성:

일부 스타트업은 환경 보호 노력과 관련하여 이해관계자와의 투명한 의사소통 부족으로 인해 어려움을 겪을 수 있습니다.

참고 : 투명한 의사소통은 고객, 투자자 및 대중과의 신뢰를 구축하는 데 중요합니다. 스타트업은 지속 가능성 성과, 과제 및 진행 상황을 정기적으로 공유해야 합니다.

이러한 실패위험으로부터 참고사항을 반영하고 환경 관리 전략에 통합함으로써 지속 가능성에 대한 노력을 강화하고 환경 위험을 줄이며 보다 지속 가능경영을 위한 노력을 기울여야 겠습니다.

제3부

사회(Social)분야 전략

제7장

사회분야의 전략과 기술

– 스타트업의 사회분야 전략

　스타트업은 사회 부문에서 혁신적이고 다양한 전략을 채택하여 중요한 역할을 수행해야 합니다. 이러한 전략들은 사회적 문제의 인식에서부터 실질적인 해결 방안의 개발까지 다양한 측면을 반영하여야 합니다:

　사회적 문제에 대한 심층적 인식과 해결책 제시: 일부 스타트업은 특정 사회적 문제에 주목하며, 이를 해결하기 위한 혁신적인 솔루션을 제공합니다. 예를 들어, 도시의 저소득층을 위한 저렴한 주택 솔루션을 개발하거나, 교육 격차를 해소하기 위한 인터랙티브 온라인 학습 플랫폼을 만드는 등의 활동을 합니다. 이러한 활동은 문제에 대한 깊은 이해와 창의적인 해결 방법을 기반으로 합니다.

지속 가능한 사회적 영향 창출을 위한 전략: 스타트업은 사회적 기업가 정신을 바탕으로 장기적인 관점에서 지속 가능한 사회적 영향을 창출하기 위해 노력합니다. 이를 위해 사회적 가치와 경제적 가치가 상호 보완적인 관계를 형성하도록 하는 비즈니스 모델을 구축합니다. 이 과정에서 사회적 책임, 환경 보호, 공정한 노동 조건 등이 중요한 고려사항입니다.

다양한 이해관계자와의 협업 및 파트너십: 협업은 스타트업이 사회 부문에서 더 큰 영향력을 발휘할 수 있는 핵심 요소입니다. 스타트업은 정부 기관, 비영리 조직, 기타 기업들과의 파트너십을 통해 자원을 공유하고, 전문 지식을 교환하며, 네트워크를 확장합니다. 이러한 협업은 보다 포괄적이고 효과적인 사회적 해결책을 만들어 낼 수 있습니다.

- 스타트업의 사회 부문 실현 현황

일부 스타트업은 사회 부문에서 눈에 띄는 성과를 보이고 있으며, 이

러한 성과는 다음과 같은 현황으로 나타나고 있습니다:

다양한 분야에서의 사회적 기여와 혁신: 현대 스타트업은 교육, 건강, 환경 보호, 사회적 공평성 등 다양한 분야에서 사회적 기여를 하고 있습니다. 기술 혁신을 통해 기존의 사회적 문제들을 새로운 방식으로 해결하고 있으며, 이는 광범위한 사회적 영향을 가져오고 있습니다.

혁신적인 솔루션과 서비스 제공: 스타트업은 자신들의 기술적 전문성을 활용하여 사회적 문제에 대응하는 혁신적인 솔루션과 서비스를 제공합니다. 예를 들어, 모바일 애플리케이션을 통한 정신 건강 서비스, AI 기반의 개인화된 교육 솔루션, 클라우드 기반의 친환경 에너지 관리 시스템 등이 이에 해당합니다. 이러한 기술적 접근은 기존의 방법론을 넘어서는 새로운 해결책을 제공합니다.

사회적 영향의 측정 및 투명한 보고: 많은 스타트업들은 그들이 창출하는 사회적 영향을 측정하고, 이를 투자자, 소비자, 그리고 다른 이해관계자들과 투명하게 공개합니다. 이는 지속 가능한 보고 메커니즘과 투명한 커뮤니케이션 전략을 통해 이루어집니다. 이를 통해 스타트업은 사회적 책임을 강화하고, 사회적 가치에 대한 인식을 높일 수 있습니다.

이와 같이 스타트업은 사회 부문에서 전략적이고 혁신적인 접근을 통해 중요한 역할을 수행하며, 사회적 문제 해결과 지속 가능한 영향을 창출하는 데 기여할 수 있습니다. 이러한 활동은 사회적 가치의 증진뿐만 아니라, 경제적 성공에도 중요한 요인입니다.

제8장
사회분야의 다양성과 포용성의 증진

– 다양성과 포용성의 중요성

다양성과 포용성은 현대 기업에 있어 필수적인 요소입니다. 이는 다음과 같은 다양한 장점이 있습니다.

창의성 및 혁신 촉진: 다양한 배경과 경험을 가진 팀은 더 넓은 관점과 창의적인 아이디어를 제공합니다. 이는 문제 해결, 제품 개발, 시장 전략 수립 등에서 혁신을 활성화 합니다.

직원 만족도 및 유지: 직원들의 의견을 적극적으로 포용할 수 있는 환경은 직원들이 자신의 잠재력을 최대한 발휘하고, 장기적으로 회사에 남아 기여할 확률을 높일 수 있습니다.

고객 및 시장 이해 증진: 다양한 직원 구성은 다양한 고객층과 시장에 대한 더 깊은 이해와 연결성을 가져옵니다.

사회적 책임과 브랜드 가치: 기업의 다양성과 포용성은 긍정적인 브랜드 이미지와 사회적 책임을 강화합니다.

– 다양성 증진을 위한 구체적 전략

다양성과 포용성을 강화하기 위해 스타트업은 다음과 같은 구체적인 전략을 구축할 수 있습니다.

포괄적인 채용 접근법

비편견적 채용 공고: 채용 공고는 다양한 배경을 가진 지원자를 수렴하고, 특정 그룹을 배제하지 않는 공고를 원칙으로 합니다.

다양한 채용 채널: 전통적인 채용 채널 외에도 소셜 미디어, 다문화 커뮤니티, 전문 다양성 채용 박람회 등을 활용합니다.

다양성 친화적인 채용 인센티브: 다양성을 증진하기 위한 목표를 설정하고, 이를 달성할 때 인센티브를 제공합니다.

교육 및 인식 제고 프로그램

다양성 및 포용성 워크숍: 직원들에게 정기적으로 다양성과 포용성에 대한 교육을 실시하여, 문화적 인식과 편견에 관한 올바른 인식을 높입니다.

문화적 다양성 공유 이벤트: 다양한 문화적 배경을 가진 직원들의 문화를 공유하는 이벤트를 주최하여 문화적 이해와 존중을 활성화합니다.

멘토링 및 네트워킹 기회

다양성 멘토링 프로그램: 다양한 배경을 가진 경험 많은 직원들이 멘토가 되어, 다른 직원들의 경력 개발을 지원합니다.

네트워킹 이벤트: 다양한 부서와 배경을 가진 직원들이 서로 만나고 교류할 수 있는 네트워킹 이벤트를 정기적으로 개최합니다.

경영진의 약속과 리더십

다양성과 포용성에 대한 경영진의 명확한 약속: 경영진은 다양성과 포용성에 대해 수용할 것을 공개적으로 표명하고, 이를 조직 전략에 반영합니다.

다양성 목표 및 성과 측정: 다양성과 관련된 명확한 실행목표를 설정하고, 이러한 목표의 실행 여부를 정기적으로 평가하고 공유합니다.

기업 문화의 조성

다양성 존중의 기업 문화 조성: 조직 내에서 다양성과 포용성을 증진하는 활동을 지원하고, 이를 기업 문화의 일부로 삼습니다.

다양한 그룹의 의견 수렴: 의사결정 과정에서 다양한 그룹의 의견을 고려하여, 모든 직원이 소속감과 존중감을 느낄 수 있도록 합니다.

이러한 전략들은 스타트업이 다양성과 포용성을 강화하고, 이를 통해 조직의 혁신력과 경쟁력을 높이는데 중요한 역할을 합니다. 다양성과 포용성은 단순한 선택을 넘어서, 기업의 성공과 지속 가능한 성장을 위한 전략으로 반영되고 있습니다.

제9장

스타트업의 사회분야 사례 연구

– 사회분야 전략 사례

사회적 측면은 ESG의 중요한 구성 요소로서, 그 중요성이 점점 더 강조되고 있습니다. 사회적 책임이 강조되는 이유는, 기업의 업무 수행 방식이 사회의 다양한 구성원에게 영향을 미치기 때문입니다. 이는 고객, 직원, 지역 사회 등 다양한 스테이크홀더들과의 관계를 포함하며, 이들과의 상호 작용을 통해 사회적 가치를 창출하는 것이 중요합니다.

1. Patagonia:

분야: 아웃도어 의류 및 장비

설명: Patagonia는 미국의 아웃도어 의류 및 장비 제조업체로, 환경 보호와 지속 가능성 실천이 뛰어난 기업으로 잘 알려져 있습니다. 이 회사는 1973년 이본 쉬나드(Yvon Chouinard)에 의해 설립되었으며, 산악 등반 장비로 시작하여 아웃도어 의류 및 기타 제품으로 사업을 확장했습니다. Patagonia의 비즈니스 모델과 철학에는 다음과 같은 특징이 있습니다:

환경 보호 및 지속 가능성: 환경 보호를 기업의 핵심 가치로 삼고 있습니다. 이는 제품 설계, 제조 과정, 포장 및 유통에 이르기까지 회사의 모든 측면에 반영됩니다. 회사는 재생 가능한 자원 사용, 환경에 미치는 영향 최소화, 그리고 지속 가능한 소재 사용에 중점을 둡니다. 예를 들면, 유기농 면, 재활용 폴리에스테르, 그리고 물과 에너지를 절약하는 제조 기술을 활용합니다.

사회적 책임: 공정 무역 인증을 받은 제품을 제조하고, 노동자들에게 공정한 임금과 작업 조건을 제공합니다.

회사는 지역사회 및 환경 보호 단체와의 파트너십을 통해 다양한 사회적, 환경적 이니셔티브를 지원합니다.

환경활동의 적극적인 참여: 환경 보호 및 사회적 이슈에 대해 적극적으로 목소리를 냅니다. 이는 정책 옹호, 환경 보호 캠페인, 그리고 지속 가능한 사업 관행에 대한 교육에 이르기까지 다양한 형태로 나타납니다. 회사는 자신들의 이익의 일부를 환경 보호 단체에 기부하며, 이러한 활동은 "Earth Tax"라고 불리기도 합니다.

혁신적인 마케팅 및 브랜딩: 전통적인 마케팅 방식보다는 스토리텔링과 브랜드 철학을 강조하는 마케팅 전략을 사용합니다. 이는 소비자들에게 회사의 가치와 철학을 전달하는 중요한 방법입니다. 예를 들어, Patagonia는 "구매하지 마세요" 캠페인을 통해 과소비 문제에 대한 인식을 높이고, 제품의 내구성과 지속 가능한 소비를 강조했습니다.

Patagonia는 자사 제품의 품질과 환경 보호를 위한 노력으로 많은 고객들에게 인기를 얻고 있습니다. 이 회사는 지속 가능한 비즈니스 모델의 선두 주자로서, 산업 전반에 걸쳐 환경적 책임과 지속 가능성에 대한 중요성을 강조하고 있습니다.

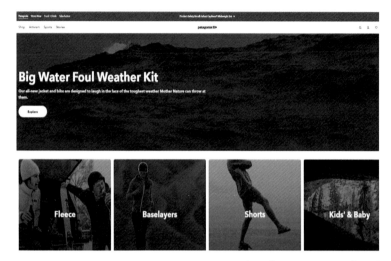

2. Warby Parker:

분야: 안경 및 안경 프레임

설명: Warby Parker는 미국의 안경 및 선글라스 소매업체로, 혁신적인 비즈니스 모델과 사회적 책임에 중점을 둔 기업입니다. 2010년에 설립된 이 회사는 처음부터 인터넷을 통한 직접 판매를 통해 전통적인 안경 산업에 도전했습니다. Warby Parker의 주요 특징과 활동은 다음과 같습니다.

직접 소비자 판매 모델: Warby Parker는 중간 유통업체를 거치지 않고 고객에게 직접 제품을 판매합니다. 이러한 방법은 비용을 절감하고, 소비자에게 합리적인 가격으로 고품질의 안경을 제공할 수 있도록 도움이 되었습니다.

회사는 온라인과 오프라인 매장을 통해 제품을 판매합니다. 온라인 판매를 특히 활성화하고 있으며, 사용자가 편리하게 다양한 안경을 선택하고 시험해 볼 수 있는 서비스를 제공하고 있습니다.

혁신적인 고객 경험: Warby Parker는 "Home-Try-On" 프로그램을 통해 고객이 안경을 무료로 집에서 시험해볼 수 있도록 합니다. 고객은 여러 개의 안경을 선택하여 집으로 배송받고, 시험 착용 후 마음에 드는 제품을 구매할 수 있습니다. 또한, 오프라인 매장에서도 고객들에게 개인화된 쇼핑 경험을 제공하며, 고객 만족도를 높이고 있습니다.

사회적 책임: "Buy a Pair, Give a Pair" 프로그램을 통해 Warby Parker는 판매하는 각 안경에 대해 개발도상국에 안경을 기부합니다. 이러한 사회적 책임 활동은 글로벌 빈곤 문제 해결에 기여하고자 하는 회사의 목표를 반영합니다. 이 프로그램은 세계적으로 시력 문제를 겪고 있는 사람들에게 보다 쉽게 안경을 접할 수 있는 기회를 제공하고 있습니다.

지속 가능성과 혁신: Warby Parker는 지속 가능한 재료를 사용하여 제품을 제조하며, 환경에 미치는 영향을 줄이려는 노력을 하고 있습니다. 기술 혁신에도 중점을 두어, 예를 들면 모바일 앱을 통해 가상으로 안경을 시험해볼 수 있는 기능을 제공하고 있습니다.

Warby Parker의 성공은 혁신적인 비즈니스 모델과 고객 중심 접근 방식, 그리고 사회적 책임을 중시하는 기업 문화에서 비롯됩니다. 이 회사는 안경 산업에서 중요한 기업으로 자리 잡았으며, 사회적 기업으로서의 역할을 통해 긍정적인 사회적 변화를 촉진시키고 있습니다.

https://www.warbyparker.com/

3. BeeHex

분야: 3D 프린팅 및 식품 제조

설명: BeeHex는 3D 식품 인쇄 기술을 개발하는 혁신적인 회사입니다. 이 회사는 원래 NASA가 우주 비행사들을 위한 식품 제조 방법을 연구하기 위해 시작된 프로젝트에서 영감을 얻어 설립되었습니다. BeeHex의 주요 목표는 3D 프린팅 기술을 활용하여 식품 제조 과정을 자동화하고 개인맞춤화하는 것입니다. BeeHex와 그들의 기술에 대해 알아보겠습니다.

3D 식품 인쇄 기술: BeeHex는 3D 프린터를 사용하여 다양한 종류의 식품을 인쇄합니다. 이 기술은 특히 피자, 케이크, 초콜릿, 아이스크림 등 다양한 식품에 적용됩니다.
3D 식품 인쇄는 식재료를 층층이 쌓아 올려 원하는 형태와 디자인의 식품을 만들어냅니다. 이 과정은 매우 정밀하여, 복잡한 디자인과 개인화된 식품 제작이 가능합니다.

맞춤형 식품 제조: 기술을 통해 사용자가 자신의 식성과 영양 요구에 맞추어 식품을 맞춤 제작합니다. 이는 알레르기, 식이 제한, 개인적인 취향을 고려한 식품군을 선택할 수 있습니다. 또한, 식품의 모양, 크기, 구성 요소를 사용자가 직접 설정할 수 있어, 창의적이고 특별한 먹거리를 제공할 수도 있습니다.

상업적 및 소비자 시장 적용: 상업적인 식품 제조, 예를 들어 레스토랑, 이벤트 케이터링, 테마 파크에서의 응용뿐만 아니라, 최종 소비자를 대상으로 한 제품 개발에도 주력하고 있습니다.

이 기술은 특히 맞춤형 식품 제조와 대량 생산의 효율성을 결합하는 데 활용할 수 있습니다.

미래 지향적인 기술: 3D 식품 인쇄 기술은 미래의 식품 제조 방법에 대한 새로운 가능성을 열어줍니다. 우주 여행, 원격 지역, 극한 환경 등 특수한 상황에서의 식품 제공 방안으로도 활용될 수 있습니다. 또한, 지속 가능한 식품 제조 방법으로서의 잠재력도 엿볼 수 있습니다. 식품 낭비를 줄이고, 효율적인 자원 사용을 가능하게 할 수 있습니다.

BeeHex는 기술 혁신과 창의적인 접근을 통해 식품 제조 산업에 새로운 방향을 제시하고 있습니다. 이들의 기술은 식품 제조의 미래에 중요한 영향을 미칠 것으로 기대됩니다.

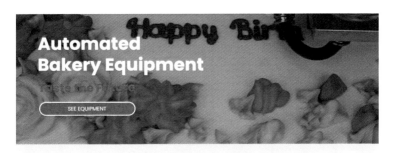

4. Buurtzorg

분야: 건강 관리 및 간호

설명: Buurtzorg는 네덜란드에 기반을 둔 혁신적인 의료 서비스 회사입니다. 이 회사는 주로 가정 간호 및 지역사회 기반의 건강 관리 서비스를 제공하며, 특히 노인과 만성 질환을 가진 환자들을 대상으로 합니다. Buurtzorg의 서비스는 몇 가지 주요 특징과 접근 방식을 통해 전통적인 의료 서비스 모델과 차별화됩니다.

자율적이고 작은 팀 기반의 접근 방식: 자율적인 간호사 팀을 구성하여 지역사회 내에서 서비스를 제공합니다. 이러한 팀은 일반적으로 10-12명의 간호사로 구성되며, 각 팀은 자체적으로 운영 결정을 내립니다. 이런 방법은 간호사들에게 더 큰 직업 만족감과 업무 효율성을 제공하며, 환자와의 관계를 강화하는 데 도움이 됩니다.

환자 중심의 케어: Buurtzorg는 환자 중심의 케어에 중점을 둡니다. 각 환자의 개별 요구와 상황을 고려하여, 맞춤형 치료 계획을 수립합니다. 환자의 독립성과 삶의 질 향상에 중점을 두며, 환자와 가족이 함께 참여합니다.

통합적 건강 관리: 단순한 의료 서비스 제공을 넘어서, 환자의 전반적인 건강 관리에 중점을 둡니다. 여기에는 신체적 건강뿐만 아니라, 정서적, 사회적 건강도 포함됩니다. 이를 위해, 다른 의료 전문가, 사회 복지사, 지역사회 자원과의 협력을 통해 통합적인 건강 관리 서비스를 제공합니다.

기술과 혁신의 활용: 기술을 적극적으로 활용하여 서비스 효율성을 높입니다. 예를 들어, 전자 의료 기록 시스템을 통해 환자 정보를 관리하고, 간호사 간의 의사소통과 협력을 용이하게 합니다. 또한, 지속적인 혁신을 통해 서비스를 개선하고, 새로운 치료 방법을 도입합니다.

Buurtzorg의 서비스는 전 세계적으로 주목받고 있으며, 다른 국가의 의료 서비스 제공 방식에도 영향을 미치고 있습니다. 이러한 방법은 환자의 삶의 질 향상, 의료 비용 절감, 직원의 직업 만족도 향상 등 여러 면에서 긍정적인 결과를 보여주고 있습니다. buurtzorg라는 단어는 "이웃 보살핌"을 의미하는 네덜란드어입니다.

https://www.buurtzorg.com/

5. One Acre Fund

분야: 농업 및 농촌 개발

설명: One Acre Fund는 비영리 조직으로, 아프리카의 소농들에게 자금, 교육, 그리고 시장 접근성을 제공하여 그들의 수확량과 수입을 증가

시키는 데 중점을 두고 있습니다. 이 조직의 목표는 농민들이 빈곤에서 벗어나 자립할 수 있도록 돕는 것입니다. One Acre Fund의 주요 활동과 특징에 대해 자세히 알아보겠습니다.

지원 서비스:

금융 지원: One Acre Fund는 소농들에게 필요한 농업 자재를 구매할 수 있도록 소액 대출을 제공합니다. 이 대출은 종자, 비료, 기타 농업 자재의 구입에 사용될 수 있습니다.

교육 및 훈련: 조직은 농민들에게 현대 농업 기술과 지속 가능한 농법에 대한 교육을 제공합니다. 이러한 교육은 수확량을 최대화하고 자원을 효율적으로 사용할 수 있도록 돕습니다.

시장 접근성 제공: 농산물의 판매와 관련하여 농민들이 더 나은 가격과 조건으로 판매될 수 있도록 지원합니다. 이는 농민들이 자신의 수입을 극대화하고 경제적 안정성을 강화하는 데 도움이 됩니다.

지속 가능성 및 혁신

One Acre Fund는 지속 가능한 농업 관행을 장려하며, 토양 건강 유지 및 환경 보호에 중점을 둡니다. 전담부서를 설립하여 현장 실험과 연구를 통해 지속적으로 새로운 기술과 방법을 검토하고 도입합니다.

영향력

이 회사는 수만 명의 농민들에게 서비스를 제공하며, 그들의 생활 수준을 향상시키는 데 기여해 왔습니다. 수확량 증가, 수입 증가, 그리고 생산 향상은 One Acre Fund의 주요 성과로 볼 수 있습니다.

확장과 파트너십

One Acre Fund는 여러 아프리카 국가에서 활동을 확장하고 있으며, 지역 정부, 기타 비영리 단체, 그리고 민간 부문과의 파트너십을 통해 그 영향력을 넓혀가고 있습니다.

One Acre Fund의 방식은 농업을 통한 빈곤 감소와 농민들의 자립을 목표로 합니다. 농민들이 자신의 농장을 더 효율적이고 지속 가능하게 운영할 수 있도록 지원함으로써, 농업의 잠재력을 최대한 활용하는 것을 목표로 합니다.

→CAREERS   Q SEARCH   ⚑ NEDERLANDS

ONE ACRE FUND   About us   What we do   Our impact   **Donate**

Farmers are the key to achieving food security and prosperity.

In Sub-Saharan Africa, most people living on $1 a day are farmers. One Acre Fund supplies farmers with the farm supplies and training they need to grow more food and earn more money. **What we do →**

https://oneacrefund.org/

이러한 스타트업들은 각각의 사회적 측면을 강조하여 ESG 경영을 실천하고 있습니다. 이들은 그들의 기업 활동을 통해 사회적 가치를 창출하면서도, 이를 통해 그들의 기업 가치를 높이는 방법을 찾아내고 있습니다. 이를 통해 그들은 사회적 측면을 강조하는 ESG 경영이 스타트업의 성장에 크게 기여할 수 있음을 보여주고 있습니다.

제4부

지배구조(Governance) 전략

제10장

투명한 기업 운영과 윤리적 결정

– 윤리적 관리와 투명성의 중요성

현대 비즈니스 환경에서 윤리적 관리와 투명성은 기업의 지속 가능한 성장과 사회적 신뢰를 구축하는 데 필수적인 요소입니다. 윤리적 관리는 기업의 장기적인 성공을 위한 기반이 되며, 모든 이해관계자들과의 관계를 강화하고 기업의 평판을 높이는 데 중요한 역할을 합니다.

기업의 평판 및 신뢰성 향상: 윤리적 관리는 고객, 투자자 및 비즈니스 파트너들로부터의 신뢰를 얻는 데 중요합니다. 윤리적으로 운영되는 기업은 장기적으로 높은 고객 충성도와 브랜드 가치를 보유하게 될 것입니다.

리스크 관리: 윤리적 문제들을 효과적으로 관리함으로써, 기업은 법적 위험과 평판 손상의 리스크를 줄일 수 있습니다.

직원 만족도 및 생산성 향상: 투명하고 윤리적인 기업 문화는 직원들의 만족도와 동기를 높이며, 이는 생산성 향상으로 이어질 수 있습니다.

- 윤리적 결정을 위한 프레임워크

윤리적 결정 프레임워크는 복잡한 비즈니스 상황에서 윤리적인 결정을 내리는 데 도움을 주는 가이드라인입니다. 이는 다음과 같은 단계로 구성됩니다:

가치 기반의 결정

기업 핵심 가치의 명확한 정의와 통합: 기업의 모든 결정과 행동은 정의된 핵심 가치에 부합해야 합니다. 이는 정직, 책임감, 공정성과 같은 가치가 될 수 있으며, 이러한 가치들은 기업의 모든 활동에 반영되어야 합니다.

윤리적 기준의 설정: 모든 직원들이 따라야 할 명확한 윤리적 기준을 설정하고, 이를 모든 직원들이 이해하고 준수하도록 합니다.

이해관계자 분석 및 참여

이해관계자 식별과 요구 분석: 중요한 이해관계자들을 식별하고, 그들의 요구와 기대를 이해합니다. 이는 고객, 직원, 커뮤니티, 환경 등을 포함할 수 있습니다.

이해관계자 참여 및 소통: 정기적으로 이해관계자들과 소통하고, 그들의 피드백을 기업 결정에 반영합니다.

윤리적 딜레마의 구분 및 해결

윤리적 딜레마에 대한 프로세스 개발: 복잡한 윤리적 문제에 직면했을 때, 이를 해결하기 위한 명확한 절차를 마련합니다.

사례별 분석과 대응 전략 수립: 특정 윤리적 딜레마에 대해 사례별로 분석하고, 이를 해결하기 위한 구체적인 전략을 수립합니다.

교육 및 훈련

윤리적 기준에 대한 지속적인 교육 제공: 정기적인 윤리 교육을 통해 직원들의 윤리적 인식을 향상시키고, 윤리적 기준을 준수할 수 있도록 합니다.

사례 연구와 토론을 통한 실질적인 학습 경험 제공: 실제 사례 연구와 토론을 통해 직원들이 윤리적 문제를 이해하고 실제 상황에서 적용할 수 있도록 합니다.

투명한 커뮤니케이션 및 보고

내부 및 외부 커뮤니케이션의 투명성 확보: 윤리적 결정 과정과 결과는 투명하게 커뮤니케이션되어야 합니다. 이는 내부적으로 직원들과, 외부적으로는 투자자, 소비자, 규제 기관들과의 커뮤니케이션을 포함합니다.

윤리적 성과의 정기적인 보고 및 평가: 기업의 윤리적 성과를 정기적으로 평가하고, 모든 이해관계자들과 공유합니다.

이 프레임워크를 통해 기업은 복잡한 윤리적 과제에 효과적으로 대응할 수 있으며, 투명하고 책임 있는 방식으로 운영될 수 있습니다. 윤리적 결정 프레임워크는 단순한 위기 관리 도구가 아니라, 기업의 전략적 계획과 조직 문화의 핵심 부분으로서 기업의 장기적인 성공과 사회적 책임에 중요한 역할을 합니다.

<윤리적 결정을 위한 프레임워크>

구성요소	주요내용
가치 기반의 결정	- 핵심 가치 정의 및 통합 - 윤리적 기준 설정
이해관계자 분석 및 참여	- 이해관계자 식별 및 요구 분석 - 이해관계자 참여 및 소통
윤리적 딜레마 식별 및 해결	- 윤리적 딜레마에 대한 프로세스 개발 - 사례별 분석 및 대응 전략 수립
교육 및 훈련	- 윤리적 기준에 대한 지속적인 교육 - 사례 연구와 토론의 실질적인 학습
투명한 커뮤니케이션 및 보고	- 내외부 커뮤니케이션의 투명성 확보 - 윤리적 성과의 정기적인 보고 및 평가

제11장

위험 관리 및 컴플라이언스

- 위험 관리 전략

위험 관리는 기업 운영에 있어 필수적인 요소로, 잠재적 위험을 효과적으로 관리함으로써 기업의 자산과 명성을 보호합니다. 효과적인 위험 관리 전략은 다음과 같은 세부 요소를 포함합니다:

위험 식별 및 평가

전사적 위험 평가: 기업 활동 전반에 걸친 위험을 식별하고, 이를 분류합니다. 이 과정은 재무적 위험, 운영적 위험, 전략적 위험, 법적/규정

적 위험 등을 포함합니다.

위험 평가 도구의 활용: 위험 평가 도구 및 방법론을 활용하여 각 위험의 심각도와 발생 확률을 정량적으로 평가합니다.

위험 대응 전략

위험 대응 계획의 수립: 각 위험에 대한 구체적인 대응 계획을 수립합니다. 이는 위험 감소, 위험 전가, 위험 피하기, 위험 수용 등의 전략을 포함할 수 있습니다.

위험 관리 프로토콜 및 가이드라인의 개발: 위험 관리를 위한 명확한 프로토콜과 가이드라인을 개발하여, 위험 상황 발생 시 일관된 대응이 이루어지도록 합니다.

지속적인 모니터링 및 검토

정기적인 위험 모니터링: 위험 관리 시스템을 정기적으로 모니터링하고, 새로운 위험 요소를 식별합니다.

위험 관리 계획의 수정 및 업데이트: 비즈니스 환경 변화에 따라 위험 관리 계획을 수정하고, 새로운 위험에 대응하기 위해 전략을 업데이트합니다.

위험 관리 전략은 기업이 잠재적 위험을 식별, 평가, 대응 및 모니터링하는 과정입니다. 한 IT 회사의 위험 관리 전략을 사례로 살펴보겠습니다.

1단계: 위험 식별 및 평가
먼저, IT 회사는 위험 식별 과정을 통해 가능한 위험 요소를 파악합니다. 예를 들면, 데이터 유출, 사이버 공격, 기술적 오류, 법적 준수 문제 등이 있을 수 있습니다. 각 위험을 그 심각성과 발생 가능성에 따라 분류합니다.

예시: 사이버 보안 위협이 발견되었습니다. 이 위협은 고객 데이터에 대한 접근과 기업의 신뢰성에 영향을 줄 수 있으므로 높은 우선순위로 분류합니다.

2단계: 위험 대응 전략
위험에 대응하기 위해 회사는 여러 전략을 고려합니다. 이는 위험 회피, 위험 감소, 위험 전가 또는 위험 수용이 될 수 있습니다.

예시: 사이버 보안 위협에 대응하기 위해, 회사는 보안 시스템을 강화하고, 매월 1일 정기적인 보안 감사를 실시하여 위험을 감소시킵니다. 또한, 사이버 보험에 가입하여 잠재적 손실을 줄입니다.

3단계: 지속적인 모니터링 및 검토
위험 관리 프로세스는 지속적인 모니터링이 필요합니다. 이는 새로운 위험 요

소의 식별, 현재 대응 전략의 효과성 평가, 및 반영합니다.

예시: 회사는 분기별로 1회 정기적으로 사이버 보안 시스템을 검토하고, 최신 위협에 대응하기 위해 보안 프로토콜을 업데이트합니다.

이러한 과정을 통해 IT 회사는 잠재적 위험을 효과적으로 관리하며, 기업의 안전과 지속 가능한 성장을 도모할 수 있습니다. 위험 관리 전략은 유동적이며, 변화하는 비즈니스 환경과 위험 환경에 맞춰 지속적으로 조정반영 되어야 합니다.

– 법적 준수 및 내부 통제 시스템

법적 준수와 내부 통제 시스템은 기업이 법적 요구사항을 충족하고, 운영의 효율성을 보장하는 데 중요한 역할을 합니다.

법적 준수

법규 및 규정 준수: 모든 관련 법규 및 규정을 준수하며, 이를 위해 지속적으로 법적 환경을 모니터링하고, 필요한 경우 조직의 정책과 절차를 조정합니다.

준수 훈련 및 인식 증진 프로그램: 직원들에게 법규 준수의 중요성에 대한 교육을 제공하고, 법적 준수를 위한 인식을 증진시킵니다.

법적 문제에 대한 선제적 대응: 법적 문제가 발생할 경우, 선제적으로 대응하고, 문제 해결을 위한 적절한 조치를 취합니다.

내부 통제 시스템

효율적인 내부 통제 메커니즘의 구축: 재무 보고의 정확성을 보장하고, 비효율성을 줄이며, 자산의 손실을 방지하기 위한 통제 메커니즘을 구축합니다.

내부 감사 및 평가: 정기적인 내부 감사를 통해 내부 통제 시스템의 효과성을 평가하고, 필요한 개선 사항을 식별합니다.

정보 시스템의 관리: 중요한 정보가 적시에 적절한 사람들에게 도달하도록 하는 효과적인 정보 관리 시스템을 운영합니다.

법적 준수 및 내부 통제 시스템은 위험 관리 전략과 밀접하게 연결되어 있으며, 기업의 효과적인 운영과 지속 가능한 성장을 지원합니다. 이 시스템은 기업의 투명성과 책임성을 강화하며, 기업과 이해관계자들 모두에게 이익이 되는 결과를 가져옵니다.

법적 준수와 내부 통제 시스템은 기업이 법적 요구사항을 충족하고, 운영의 효율성과 효과성을 보장하는 데 필수적인 요소입니다. 다음은 법적 준수와 내부 통제 시스템의 예시입니다:

1) 법적 준수의 예시

데이터 보호 및 개인정보보호 규정 준수: 예를 들어, 유럽연합의 일반 데이터 보호 규정(GDPR)은 개인 데이터의 처리와 관련하여 엄격한 규정을 제시합니다. 기업은 이러한 규정을 반영하여 도입하고 개인정보 처리 방침을 명확히 하고, 고객의 동의를 획득하는 절차를 마련합니다.

노동 법규 준수: 기업은 노동 관련 법규, 예를 들어 최저 임금, 근로 시간, 안전 규정 등을 준수해야 합니다. 이를 위해 기업은 매년 1회 정기적으로 노동 관련 법규를 검토하여 반영하고, 직원 교육 프로그램을 실시하여 법규 준수를 보장합니다.

2) 내부 통제 시스템의 예시

재무 보고 통제: 정확한 재무 보고를 위해 기업은 내부 감사 시스템을 구축합니다. 예를 들어, 재무 거래에 대한 이중 확인 절차, 정기적인 내부 감사, 부정 행위를 감지하기 위한 모니터링 시스템 등을 포함할 수 있습니다.

재고 관리 통제: 제조 또는 소매 기업의 경우, 재고 관리는 중요한 내부 통제 요소입니다. 이를 위해 전자적 재고 추적 시스템을 도입하고, 정기적인 재고 조사를 실시하여 재고의 정확성을 확보합니다.

정보 보안 통제: 기업은 정보 보안을 위한 내부 통제 시스템을 마련합니다. 이는 방화벽, 암호화, 접근 권한 관리, 정기적인 보안 감사 등을 포함할 수 있습니다.

이러한 시스템은 기업이 법적 요구사항을 충족하고, 비즈니스 운영의 효율성과 안전성을 보장하는 데 중요한 역할을 합니다. 법적 준수와 내부 통제 시스템은 기업의 규모와 산업 특성에 따라 다르게 적용되며, 지속적인 개선과 모니터링이 필요합니다.

제12장

스타트업의 지배구조 사례 연구

– 지배구조분야 스타트업 사례

1. Zoom Video Communications

분야: 비디오 커뮤니케이션 및 협업

지배구조: Zoom Video Communications는 온라인 비디오 회의 및 커뮤니케이션 서비스를 제공하는 기업으로, 특히 COVID-19 팬데믹 기간 동안 그 인기가 급증하며 주목받았습니다. Zoom의 거버넌스 구조에 대한 상세한 설명은 다음과 같습니다.

경영진

Zoom의 경영진은 회사의 전략적 방향과 일상적인 운영을 관리합니다. 이에는 CEO(최고경영자), CFO(최고재무책임자), COO(최고운영책임자) 등 주요 직위가 포함됩니다. 각 경영진은 회사의 전략적 결정, 재무 관리, 운영 효율성 및 제품 개발 등을 책임집니다.

CEO (최고경영자): Eric S. Yuan이 Zoom의 창립자이자 CEO로, 회사의 전반적인 전략과 비전을 구축하고 이끌어갑니다.

CFO (최고재무책임자): 회사의 재무 건전성과 재무 보고, 예산 관리 등을 담당합니다.

COO (최고운영책임자): 회사의 일상적인 운영과 효율성 관리를 책임집니다.

이사회

Zoom의 이사회는 회사 거버넌스의 핵심 부분으로, 경영진의 의사결정을 감독하고, 전략적 방향 설정, 정책 결정, 주주 이익 보호 등의 역할을 수행합니다. 이사회는 독립적인 비상임 이사들과 경영진으로 구성됩니다.

이사회의 역할: 회사의 중장기 전략, 주요 투자 및 인수, 위험 관리 및

준법성 등을 감독합니다.

위원회 구성: 감사 위원회, 보상 위원회, 거버넌스 및 지명 위원회 등으로 구성됩니다. 각 위원회는 특정 분야의 전문성을 바탕으로 중요한 결정을 내립니다.

준법 및 윤리 기준

Zoom은 법적 준수와 윤리적 기준을 강조합니다. 이를 위해 내부 준법 프로그램과 윤리 규정을 마련하고, 직원 및 경영진이 이를 준수하도록 합니다.

윤리 및 준법 프로그램: 모든 직원이 준수해야 하는 윤리 강령과 준법 가이드라인을 제공합니다.

개인정보 보호 및 보안: 사용자 데이터 보호와 정보 보안에 대한 강력한 정책을 운영합니다.

Zoom의 거버넌스 구조는 투명성, 책임성 및 효과적인 경영을 위해 설계되었습니다. 이 구조는 회사가 지속 가능하고 윤리적으로 운영될 수 있도록 지원하며, 급변하는 기술 시장에서 경쟁력을 유지하는 데 중요한 역할을 합니다.

https://zoom.us/

2. Salesforce

분야: 고객 관계 관리 및 클라우드 컴퓨팅

지배구조: Salesforce는 클라우드 기반의 고객 관계 관리(CRM) 소프트웨어 및 비즈니스 애플리케이션을 제공하는 글로벌 기업입니다. 회사의 거버넌스 구조는 주주, 고객, 직원 및 커뮤니티의 이익을 보호하고 촉진하는 데 중점을 둡니다. Salesforce의 거버넌스 구조는 다음과 같이 구성됩니다:

이사회

Salesforce의 이사회는 회사의 전략적 방향 설정, 경영진 감독, 주주 이익 보호 등을 담당합니다. 이사회의 구성은 독립적인 비상임 이사들과 경영진으로 이루어집니다.

이사회의 역할: 회사의 전략적 계획, 중요한 정책 결정, 재무 및 운영적 성과 감독 등을 수행합니다.

위원회: 감사 위원회, 보상 위원회, 지명 및 거버넌스 위원회 등의 위원회가 있으며, 각 위원회는 특정 분야에 대한 전문성을 갖고 결정을 내립니다.

경영진

Salesforce의 경영진은 회사의 일상적인 운영과 전략적 결정을 책임집니다. CEO(최고경영자)를 비롯한 경영진은 회사의 전략적 방향을 설정하고 실행합니다.

CEO (최고경영자): 회사의 전반적인 운영 및 전략을 책임지며, 이사회와 긴밀하게 협력합니다.

CFO (최고재무책임자): 재무 관리, 예산 수립, 재무 보고 등을 담당합니다.

COO (최고운영책임자): 회사의 운영적 효율성과 비즈니스 프로세스를 감독합니다.

준법 및 윤리 기준

Salesforce는 높은 윤리적 기준과 법적 준수를 중요시합니다. 회사는 윤리 강령과 준법 정책을 마련하고, 모든 직원과 경영진이 이를 준수하도록 합니다.

윤리 강령: 기업의 행동 규범과 윤리적 표준을 제시합니다.

준법 프로그램: 법적 요구사항을 준수하고, 기업의 투명성과 책임성을 보장하기 위한 프로그램을 운영합니다.

지속 가능성 및 사회적 책임

Salesforce는 지속 가능성과 사회적 책임을 강조합니다. 이는 환경 보호, 사회적 기여, 지역사회 발전 등 다양한 활동을 통해 구현됩니다.

환경 보호: 친환경적인 운영 방식과 기술을 채택하여 환경 영향을 최소화합니다.

사회적 기여: 교육, 자선 활동, 지역사회 발전 프로그램 등을 통해 사회적 책임을 다합니다.

Salesforce의 거버넌스 구조는 투명성, 책임성 및 지속 가능한 성장을 지원하며, 다양한 이해관계자들의 이익을 보호하고 촉진하는 데 중점을 두고 있습니다. 이 회사는 기술 혁신과 함께 윤리적이고 지속 가능한 비즈니스 모델을 추구하며, 이를 통해 업계에서의 선도적인 위치를 유지하고 있습니다.

https://www.salesforce.com/

3. Etsy:

분야: 수작업 및 공예품 온라인 마켓플레이스

지배구조: Etsy는 전 세계적으로 활동하는 온라인 마켓플레이스로, 주로 수공예품, 빈티지 아이템, 그리고 독특한 공예품을 중심으로 하는 판매 플랫폼입니다. Etsy의 거버넌스 구조는 이러한 특성에 맞추어 설계되었으며, 회사의 성공에 중요한 역할을 합니다. Etsy의 거버넌스 구

조와 이에 따른 장점을 자세히 살펴보겠습니다.

이사회 구성 및 역할

Etsy의 이사회는 다양한 분야의 전문가들로 구성되어 있으며, 회사의 전략적 방향과 정책 결정을 감독합니다. 이사회의 역할은 다음과 같습니다:

전략적 방향 설정: Etsy의 장기적인 비전과 목표를 설정하고, 이를 달성하기 위한 전략을 승인합니다.

경영진 감독: CEO 및 다른 경영진의 성과를 평가하고, 경영진의 주요 결정을 감독합니다.

주주와 이해관계자의 이익 보호: 주주의 이익을 대변하고, 다양한 이해관계자들의 요구를 고려합니다.

윤리적 경영 및 사회적 책임

Etsy는 지속 가능성, 공정 무역, 환경 보호 등에 초점을 맞춘 윤리적 경영을 추구합니다. 이러한 방법은 다음과 같은 장점이 있습니다:

브랜드 신뢰도 향상: 윤리적 경영은 소비자들로부터의 신뢰를 높이고, 긍정적인 브랜드 이미지를 구축합니다.

지속 가능한 성장: 사회적 책임을 중시함으로써, 지속 가능한 비즈니스 모델을 구축하고, 장기적인 성장을 추구할 수 있습니다.

고객 중심의 서비스

Etsy는 플랫폼의 판매자와 구매자를 중심으로 서비스를 제공합니다. 이는 다음과 같은 장점이 있습니다:

고객 충성도 증가: 개별 판매자와의 긴밀한 관계 구축은 고객 충성도를 높이고, 구매자와 판매자 간의 커뮤니티를 형성합니다.

시장 트렌드에 대한 빠른 대응: 고객의 요구와 시장 트렌드에 빠르게 반응하고, 이에 맞는 제품과 서비스를 제공합니다.

혁신적인 기술 활용

Etsy는 기술 혁신을 통해 사용자 경험을 향상시키고, 플랫폼의 효율성을 높입니다. 이러한 방법에는 데이터 분석, 사용자 인터페이스 최적화, 모바일 애플리케이션 개발 등이 있습니다.

Etsy의 거버넌스 구조는 회사의 핵심 가치와 비즈니스 모델에 부합하며, 지속 가능한 성장과 시장에서의 경쟁력을 유지하는 데 기여합니다. 이 구조는 고객 중심의 서비스, 윤리적 경영, 사회적 책임, 그리고 기술 혁신을 통해 다양한 이해관계자들의 요구를 충족시키고 있습니다.

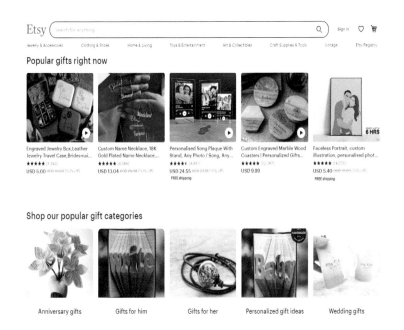

https://www.etsy.com/

4. Twilio:

분야: 클라우드 통신 및 메시징

지배구조: Twilio는 클라우드 기반 통신 플랫폼으로, 개발자들이 음성, 문자, 비디오 및 기타 통신 기능을 소프트웨어 애플리케이션에 통합

할 수 있도록 하는 서비스를 제공합니다. Twilio의 거버넌스 구조는 회사의 혁신적인 비즈니스 모델을 뒷받침하며, 여러 강점을 가지고 있습니다.

이사회 구성 및 역할

Twilio의 이사회는 다양한 배경과 경험을 가진 전문가들로 구성되어 있으며, 회사의 전략적 방향 설정과 경영진 감독을 담당합니다.

이사회의 다양성: Twilio의 이사회는 다양한 산업과 전문 분야에서 온 인사들로 구성되어 있으며, 이는 다양한 관점과 경험을 회사 운영에 반영하는 데 도움이 됩니다.

독립적인 이사들의 역할: 이사회에는 독립적인 비상임 이사들이 포함되어 있으며, 이들은 경영진에 대한 객관적인 평가와 감독을 수행합니다.

투명한 운영 및 커뮤니케이션

Twilio는 투명한 운영을 강조하며, 이해관계자들과의 커뮤니케이션에 중점을 둡니다.

정기적인 재무 보고: Twilio는 정기적으로 재무 성과를 공개하며, 이는 주주들과 시장에 대한 투명한 정보 제공을 목적으로 합니다.

이해관계자와의 소통 강화: Twilio는 주주, 고객, 직원 및 기타 이해관계자들과의 적극적인 소통을 통해 피드백을 수집하고 이를 경영에 반영합니다.

윤리적 경영 및 사회적 책임

Twilio는 윤리적 경영과 사회적 책임을 중시합니다.

윤리적 기준 및 준법: 회사는 높은 윤리적 기준을 설정하고 이를 준수합니다. 법적 규정 준수는 기업 운영의 핵심 원칙 중 하나입니다.

사회적 책임 프로그램: Twilio는 지역사회 참여, 교육 지원, 환경 보호 등의 사회적 책임 활동에 참여합니다.

기술 혁신 및 개발자 커뮤니티 지원

Twilio는 지속적인 기술 혁신을 추구하며, 개발자 커뮤니티와의 긴밀한 관계를 유지합니다.

혁신적인 기술 개발: Twilio는 클라우드 커뮤니케이션 기술의 개발에 주력하며, 지속적인 연구 및 개발을 통해 새로운 서비스와 기능을 출시합니다.

개발자 커뮤니티와의 협력: Twilio는 개발자 커뮤니티와의 긴밀한 협력을 통해 제품 개선 및 혁신을 활성화하고 있습니다.

Twilio의 거버넌스 구조는 회사의 지속 가능한 성장과 시장에서의 경쟁력을 뒷받침하는 중요한 요소입니다. 투명한 운영, 윤리적 경영, 사회적 책임, 기술 혁신 등의 강점을 통해 Twilio는 업계에서 신뢰받는 위치를 유지하고 있습니다.

https://www.twilio.com/en-us

5. Slack Technologies:

분야: 업무용 메시징 및 협업

지배구조: Slack Technologies는 클라우드 기반의 팀 협업 및 메시징 소프트웨어를 제공하는 기업으로, 주로 기업 및 조직 내 커뮤니케이션 및 협업을 용이하게 하는 플랫폼인 'Slack'으로 알려져 있습니다. Slack 의 거버넌스 구조는 회사의 혁신적인 비즈니스 모델을 뒷받침하며, 특히 다음과 같은 강점을 가지고 있습니다.

이사회 구성 및 역할

Slack의 이사회는 회사의 전략적 방향을 설정하고 경영진의 의사결정을 감독합니다. 이사회는 기업 거버넌스의 효과적인 실행을 책임지며, 주주 및 기타 이해관계자들의 이익을 대변합니다.

다양성과 전문성: Slack의 이사회는 다양한 배경을 가진 전문가들로 구성되어 있으며, 이는 다양한 관점을 회사 운영에 반영하는 데 도움이 됩니다.
독립성: 이사회에는 독립적인 비상임 이사들이 포함되어 있어, 경영진에 대한 객관적인 감독과 평가를 제공합니다.

투명한 운영 및 커뮤니케이션

Slack은 투명한 운영을 강조하며, 이는 주주, 고객, 직원 및 기타 이해관계자들과의 신뢰 구축을 형성하고 있습니다.

정기적인 재무 보고 및 공개: Slack은 재무 성과와 관련 정보를 정기적으로 공개하여 투자자와 시장에 투명한 정보를 제공합니다.

이해관계자와의 소통: Slack은 다양한 이해관계자들과의 적극적인 소통을 통해 피드백을 수집하고 이를 경영 전략에 반영합니다.

윤리적 경영 및 준법

Slack은 높은 윤리적 기준과 법적 준수를 중시하며, 이를 기업 운영의 핵심 원칙으로 삼습니다.

윤리 강령 및 준법 프로그램: Slack은 강력한 윤리 강령과 준법 프로그램을 운영하며, 모든 직원과 경영진이 이를 준수하도록 합니다.

개인정보 보호 및 데이터 보안: Slack은 사용자 데이터 보호와 정보 보안에 중점을 두며, 이를 위한 철저한 정책과 프로토콜을 구축합니다.

혁신 및 기술 중심의 문화

Slack은 지속적인 혁신과 기술 중심의 기업 문화를 추구합니다. 이를 통해 시장 변화에 빠르게 대응하고 경쟁 우위를 유지합니다.

연구개발 투자: Slack은 제품 개발 및 혁신에 지속적으로 투자하여, 사용자 경험을 개선하고 새로운 기능을 추가합니다.

개방적인 기업 문화: Slack은 개방적이고 협력적인 기업 문화를 장려하여 직원들의 창의성과 혁신을 촉진합니다.

Slack의 거버넌스 구조는 효과적인 경영, 투명한 운영, 윤리적 기준 준수, 지속적인 혁신에 중점을 두며, 이를 통해 회사의 지속 가능한 성장과 시장에서의 경쟁력을 뒷받침합니다. 이 구조는 회사의 안정성과 신뢰성을 강화하고, 다양한 이해관계자들의 요구에 부응하는 데 중요한 역할을 합니다.

https://slack.com/

제5부

ESG 전략의 실행과 평가

제13장

ESG 전략의 수립과 실행

- ESG 전략의 필요성

ESG (환경, 사회, 지배구조) 리더십은 기술 창업자들에게 점점 더 중요한 역할을 부여합니다. 환경 (Environment), 사회 (Social), 지배구조 (Governance)를 아우르는 ESG 경영전략은 기술사업의 지속가능성과 성장을 뒷받침하며 긍정적인 사회적 영향을 창출하는 핵심적인 요소라고 할 수 있습니다. 이러한 전략을 효과적으로 구현하면 기술 기업은 금융 시장에서 경쟁력을 확보하고 사회적 가치를 창출 할 수 있습니다.

투자 및 자금 확보

ESG 요소를 고려한 기업은 투자자와
금융 기관들로부터 더 많은 자금을
확보할 가능성이 높음
ESG 리더십을 통한 투자유치의 경쟁력
향상

 고객과 이해관계자 요구 충족

소비자들은 윤리적이고 지속 가능한 제품과 서비스를
선호하며, 이를 충족시키는 기술 창업자들은 고객을
유치하고 또다른 가치를 제공함.

 위험관리

ESG 리더십은 환경적 및 사회적
리스크를 관리하고, 재무적 손실을
방지하는 데 도움이 됨.
환경 변화 및 사회적 문제로 인한 위험을
사전에 파악하고 대응하는 능력이
상승됨

 법규준수

많은 국가와 지역에서 ESG 관련 법규가
강화되고 있음
ESG 리더십은 기업이 규제를 준수하고
법적 위반을 방지할 수 있도록 준비 함.

- *ESG 문화 구축과 조직 변화*

ESG 문화를 조직에 구축하고 유지하는 것은 창업자들에게 있어서 중요한 도전입니다.

 리더십 역할

리더십 팀은 ESG 가치를 채택하고 조직
내에 전파해야 함.
리더들은 본인이 ESG 원칙을 준수하며
윤리적 리더십을 선행해야 함

 교육과 인식

직원들을 ESG 문화에 대해 교육하고 인식을
높여야 함.
ESG의 중요성과 그 영향을 이해하는 것은 모든
구성원에게 필수적인 요소 임

 메트릭과 측정

ESG 목표와 성과를 측정하고
모니터링하는 메트릭 도입이 필요함.
데이터를 통해 조직의 ESG 노력을
향상시킬 수 있도록 관리 함.

 이해관계자 커뮤니케이션

이해관계자들과의 열린 소통을 활성화 함.
이를 통해 ESG 이니셔티브에 대한 피드백을
수렴하고 실현 가능한 목표를 설정해 나아감.

- ESG 추진을 위한 핵심 경영시스템

　조직이 ESG 경영 도입을 위해서 구축해야 할 핵심적 거버넌스 시스템(경영시스템)은 ESG 인식 및 추진의지, 전략체계, 추진조직, 성과관리, 커뮤니케이션 등 5대 핵심 분야와 관련이 있습니다.

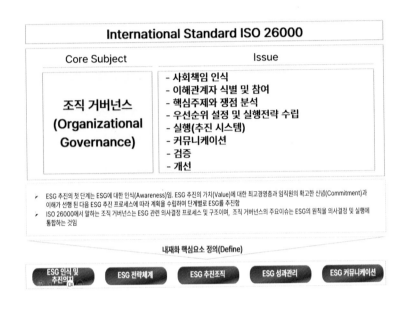

- *ESG 전략체계 수립 프로세스*

　외부환경 분석, 내부역량 분석, 이해관계자 참여를 통해 우선적으로 집중해야(Priority Focus)할 영역인 ESG 핵심이슈(Core Issues)를 도출하고, 이를 바탕으로 ESG 전략체계를 수립합니다.

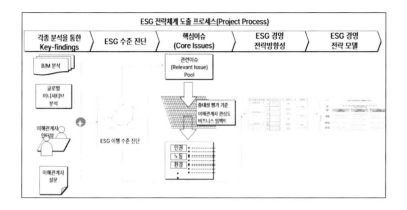

- *실천가능한 ESG 경영 전략수립*

실천 가능한 ESG 전략은 구체적이고 실행 가능한 조치로 구성됩니다. 각 ESG 영역별 전략과 예시는 다음과 같습니다:

환경 전략

친환경 운영 및 기술 도입: 에너지 효율적인 설비 도입, 재생 가능 에너지 사용, 폐기물 감축 방안 등을 구현합니다.

지속 가능한 공급망 관리: 친환경 재료 사용, 지속 가능한 공급업체 선택, 공급망 내 탄소 발자국 감축 등을 추진합니다.

환경 프로젝트 참여: 조림 활동, 해양 보호 캠페인, 환경 교육 프로그램 후원 등으로 환경 보호에 기여합니다.

사회 전략

직원 다양성 및 포용성 증진: 다문화 인력 채용, 포용성 훈련 프로그램, 다양성 리더십 개발 등을 실행합니다.

사회적 책임 활동 강화: 지역사회 개발 프로젝트 지원, 자선 활동 및 자원봉사 프로그램 운영 등을 통해 사회적 기여를 확대합니다.

직원 복지 및 안전 강화: 건강 및 웰빙 프로그램 제공, 안전한 근무 환경 조성, 직원 의견 수렴 및 대응 메커니즘 마련 등을 포함합니다.

거버넌스 전략

투명한 경영 및 윤리적 기준 준수: 정기적인 이사회 보고, 윤리 강령 준수 감독, 반부패 및 준법 정책 실행 등을 통해 투명성을 강화합니다.

위험 관리 및 내부 통제 시스템 구축: 위험 평가 및 관리 프로세스 강화, 내부 통제 및 감사 시스템 구축, 데이터 보안 및 개인정보 보호 조치 강화 등을 통해 거버넌스를 강화합니다.

주요 이해관계자 참여 및 소통 강화: 정기적인 이해관계자 소통, 피드백 메커니즘 구축, 사회적 책임 보고 등을 통해 이해관계자와의 관계를 강화합니다.

<분야별 전략 예시>

분야	전략	예시
환경	지속 가능한 자원 사용	모든 사무실에서 LED 조명으로 전환, 재활용 프로그램 강화
	탄소 배출 감축 계획	비즈니스 여행 줄이기, 원격 근무 장려
	환경 보호 활동	지역사회 환경 보호 캠페인 참여, 자연 보호구역 조성 기부
사회	다양성과 포용성 증진	다양성과 포용성 훈련 프로그램 실시, 인재 채용에서 다양성 강조
	커뮤니티 참여 및 지원	지역 학교와의 파트너십을 통한 기술 교육 프로그램 지원
	직원 복지 및 개발	직원 건강 프로그램 제공, 전문성 개발을 위한 교육 기회 확대
거버넌스	투명한 경영 및 윤리적 기준	정기적인 이사회 보고, 윤리 강령 준수 강화
	위험 관리 및 준법 감시	사이버 보안 강화, 내부 감사 시스템 구축
	이해관계자 참여	주주 및 직원들과의 정기적인 소통 회의 개최

- ESG 전략체계(ESG 전략모델)

　조직의 비전 달성을 지원하고 ESG 경영의 강력한 추진을 위해 ESG
목표, 3대 전략방향성(전략목표), 7대 전략과제 (우선순위과제), 25개 실
행과제, 42개 성과지표로 구성된 ESG 전략체계(ESG Strategy)를 수립
해 봅니다.

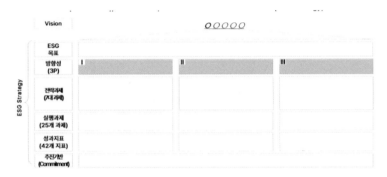

　이러한 실천 가능한 ESG 전략은 조직의 지속 가능성과 사회적 책임을
활성화하며, 장기적인 기업 가치와 경쟁력을 높이는 기반을 구축합니다.

- 스타트업의 ESG 전략모델

　스타트업의 경우 사회적 가치실현을 위해 중장기적 사회적 가치도입
목표를 구축하여 실천할 수 있습니다.

환경적으로는 사무실 내에서 폐기물 감소를 위한 재활용을 실행하고, 이면지 활용, 전자문서 사용 등을 통해 환경보호를 위한 목표를 설정할 수 있습니다.

사회적 책임경영을 위한 노력으로 인권경영방침을 수립하고, 정기적인 봉사활동을 목표로 합니다.

기업의 지배구조와 관련하여 투명한 경영과 정직한 비즈니스를 위해, 윤리 경영을 추진하고 사외이사제도 도입 등을 통해 투명한 경영체계를 목표로 설정할 수 있습니다.

<예 시>

중장기적 사회적 가치 도입

Environment

폐기물 감소를 위한 재활용
분리배출, 사무실 내 이면지 활용
등을 통한 환경보호 노력

Social Value

인권 경영방침 수립,
정기적 봉사활동 실천 등을 통한
사회적 책임 경영 노력

Governance

윤리경영, 사외이사제도 도입 등
투명 경영을 위한 노력

제14장

ESG 성과 평가 및 보고

- ESG 성과의 측정 및 평가

기업의 ESG(환경, 사회, 거버넌스) 성과 측정 및 평가는 중요한 과정으로, 이를 통해 기업의 지속 가능성 목표 달성 정도를 파악할 수 있습니다. 측정 및 평가 방법은 다음과 같습니다.

성과 지표 설정: ESG 관련 명확한 성과 지표를 설정합니다. 예를 들어, 환경 분야에서는 탄소 배출량, 에너지 사용량, 폐기물 처리량 등이 될 수 있습니다.

정량적 데이터 분석: 성과 지표에 대한 정량적 데이터를 수집하고 분석합니다. 이는 재무 보고서, 운영 기록, 설문 조사 결과 등에서 얻을 수 있습니다.

정성적 평가: 정성적인 요소(예: 직원 만족도, 지역사회 참여 수준)에 대한 평가를 진행합니다. 이는 설문 조사, 인터뷰, 사례 연구 등을 통해 이루어질 수 있습니다.

ESG 평가기관

각 ESG 평가 기관이 어떤 종류의 서비스를 제공하는지를 명확하게 파악하는 것이 중요합니다. 이러한 평가 기관들을 통해 기업이 자신의 ESG 성과를 객관적으로 평가하고, 지속 가능한 경영 전략을 지속적으로 개선해 나아가야 합니다.

평가 기관	내용
MSCI ESG Research	국제적으로 인정받는 ESG 평가 및 리서치 서비스 제공
Sustainalytics	ESG 리스크 평가 및 관련 컨설팅 서비스 제공
FTSE Russell	FTSE4Good 지수와 같은 ESG 관련 지수 제공
CDP (Carbon Disclosure Project)	기업의 탄소 배출, 물 사용, 산림 보호 관련 정보 수집 및 평가
Bloomberg ESG Data Service	ESG 데이터 및 분석 서비스 제공, 투자자들의 ESG 성과 평가 지원

– 효과적인 ESG 보고 방법

ESG 보고는 이해관계자들에게 조직의 지속 가능성 성과를 투명하게 전달하는 중요한 수단입니다. 효과적인 ESG 보고 방법에는 다음과 같은 요소가 포함됩니다:

표준화된 보고 프레임워크 활용: GRI(Global Reporting Initiative), SASB(Sustainability Accounting Standards Board) 등 국제적으로 인정받는 표준을 활용하여 보고합니다.
예시: GRI(Global Reporting Initiative) 또는 SASB(Sustainability Accounting Standards Board) 기준에 따라 ESG 보고서 작성.

주요 성과 지표(KPIs) 강조: ESG 전략과 연관된 주요 성과 지표를 강조하여 보고합니다. 이를 통해 이해관계자들은 기업의 ESG 노력을 명확하게 이해할 수 있습니다.
예시: 탄소 배출량, 에너지 사용량, 직원 다양성 비율 등의 KPIs를 보고서에 명확히 표시.

투명성 및 일관성 유지: 보고 과정에서 투명성을 유지하며, 일관된 방식으로 정보를 제공합니다.

예시: 모든 데이터와 정보를 정확하고 일관된 형식으로 제공하며, 변경 사항이 있을 경우 이를 명확히 밝힘.

사례 및 스토리텔링 활용: 구체적인 사례와 스토리텔링을 통해 ESG 관련 활동과 성과를 생동감 있게 전달합니다.

제목: 디지털 교육의 새로운 지평: 저소득 지역 학교에 IT 교육의 빛을 밝히다

예시 :

배경: 고단한 도시 외곽, 자원이 부족한 한 소규모 학교에서의 이야기입니다. 이곳 학생들은 대부분 디지털 기기나 최신 기술에 접근하기 어려운 환경에서 자랐습니다.

한 글로벌 IT 회사가 지역사회에 긍정적인 영향을 미치고자 이 학교를 찾아왔습니다. 회사는 학교에 최신 IT 기기와 교육용 소프트웨어를 기부하고, 전문 강사들을 파견하여 IT 교육 프로그램을 제공하기 시작했습니다.

처음에 학생들은 새로운 기술에 다소 주눅이 들어 있었습니다. 하지만, 전문 강사들의 친절한 지도와 쉽게 접근할 수 있는 교육 소프트웨어 덕분에 점차 자신감을 얻기 시작했습니다. 학생들은 코딩, 그래픽 디자인, 온라인 학습 플랫폼 사용법 등을 배우며 디지털 세계의 문을 열었습니다.

이 프로그램은 학생들의 디지털 리터러시를 획기적으로 향상시켰습니다. 학생들은 이제 자신의 아이디어를 디지털 아트워크로 표현하거나, 코딩을 통해 간단한 애플리케이션을 만드는 등 창의적인 방법으로 기술을 활용하고 있습니다. 또한, 이 프로그램은 학생들에게 미래 기술에 대한 접근성을 제공하며, 기술 분야의 진로를 탐색할 수 있는 기회를 열어주었습니다.

이 사례는 단순한 기부를 넘어서, 교육을 통한 지역사회 발전에 기여할 수 있는 기업의 사회적 책임 활동의 중요성을 보여줍니다. 기업과 지역사회의 협력을 통해 저소득 지역 학생들에게 더 나은 미래를 제공하는 것이 가능하다는 것을 보여줍니다.

   디지털 보고 도구 활용: 인터랙티브한 디지털 보고 도구를 활용하여, 사용자가 보다 쉽게 정보에 접근하고 이해할 수 있도록 합니다.

예시: 대화형 디지털 플랫폼의 활용

사용자 참여 및 상호작용

인터랙티브한 데이터 시각화: 그래프, 차트 및 인포그래픽을 통해 ESG 성과 데이터를 쉽게 이해할 수 있도록 작성
맞춤형 콘텐츠: 사용자의 관심사에 따라 맞춤형 정보를 제공하고, 개별적인

질문에 대한 답변을 할 수 있도록 제작.

투명성 및 접근성 강화

실시간 업데이트 및 투명한 정보 제공: 최신 ESG 성과를 실시간으로 업데이트하고, 모든 정보를 투명하게 공개함.

다양한 디바이스 접근성: 웹사이트 및 모바일 앱을 통해 다양한 디바이스에서 쉽게 접근할 수 있도록 반영

사용자 피드백 및 참여

피드백 및 설문 기능: 사용자의 피드백을 수집하고, 설문 조사를 통해 ESG 보고에 대한 의견을 수렴

참여 및 소통 채널 마련: 사용자들이 질문을 할 수 있는 Q&A 섹션, 다양한 소셜 미디어 반영 등을 통해 채널을 확대

　효과적인 ESG 보고는 기업의 지속 가능성 노력을 보여주는 중요한 창입니다. 이를 통해 기업은 투명성을 강화하고, 이해관계자들의 신뢰를 구축할 수 있으며, 장기적인 기업 가치를 증진시킬 수 있습니다.

제15장

ESG 경영의 미래와 스타트업의 기회

- ESG 경영의 미래

EESG(환경, 사회, 거버넌스) 경영의 미래는 지속 가능한 발전과 기업의 사회적 책임이 점점 더 중요해지는 현대 사회의 트렌드와 밀접하게 연결되어 있습니다. 기후 변화, 사회적 불평등, 거버넌스 투명성에 대한 전 세계적인 관심이 증가함에 따라, ESG 경영은 더욱 강조될 것으로 전망됩니다. 또한, 투자자들과 소비자들은 ESG 성과가 우수한 기업에 더 많은 관심과 자본을 투입하고 있습니다. 이러한 흐름은 기업이 ESG 목표를 달성하기 위한 혁신적인 접근 방식과 솔루션 개발에 더 많은 투자를 하도록 촉진할 것입니다.

규제 강화

국가와 국제 규제기관은 기업의 ESG 보고 요구사항을 강화하고 있음. 기업들은 더욱 상세한 정보를 제공해야 하며, 규제 준수는 더욱 중요해질 것임.

투자 관심 증가

투자자들은 ESG 성과를 평가하여 투자를 결정함. ESG가 금융 성과에 미치는 영향에 대한 연구와 관심이 계속 증가할 것임.

기술혁신

기술은 ESG 문제를 해결하는 데 중요한 역할을 함. 인공지능, 블록체인 및 빅데이터 분석을 활용하여 ESG 데이터 수집, 분석 및 보고를 개선하게 될 것임.

사회적 영향

기업은 사회적 목표 달성과 관련된 ESG 이니셔티브는 더욱 강조될 것임. 지속 가능한 미래를 구축하고 사회에 긍정적인 영향을 미치는 것이 중요한 목표가 될 것으로 예상됨.

투자자와 이해관계자 관심 증가

투자자와 이해관계자들은 ESG 성과를 평가하고 지원하며, 이는 자금 확보와 신뢰 구축에 중요한 영향을 미침
법규 준수와 규제 강화: 국제적, 국내적 규제가 ESG 보고 및 관리 요구를 강화하고 있으며, 기업은 이를 준수해야 함

사회적 책임과 평판

ESG 경영은 사회적 책임을 강조하며, 환경 보호, 다양성 증진, 공정한 경영 등을 통해 긍정적인 평판을 구축할 수 있음.

- 스타트업에게 주어진 ESG 기회

　스타트업에게 ESG(환경, 사회, 거버넌스)는 단순한 규제 준수를 넘어서 성장과 혁신의 새로운 기회가 될 수 있습니다 스타트업이 활용할 수

있는 ESG 경영의 기회를 찾으십시오.

혁신적인 솔루션 개발

스타트업은 친환경 기술, 지속 가능한 소재 개발, 에너지 효율성 향상과 같은 분야에서 혁신적인 제품 및 서비스를 개발함으로써 ESG 시장의 선두주자가 될 수 있습니다. 예를 들어, 재활용 가능한 소재로 만든 제품, 에너지 소비를 최소화하는 스마트 기기 등은 환경적 측면에서 중요한 가치를 지닙니다.

이러한 혁신은 스타트업이 지속 가능한 소비 트렌드를 선도하고, 환경 친화적인 제품에 대한 수요를 충족시키는 데 중요한 역할을 합니다.

새로운 비즈니스 모델 창출

ESG를 중심으로 한 비즈니스 모델은 스타트업에게 시장에서의 차별화된 경쟁 우위를 차지합니다. 예를 들어, 순환 경제 모델을 채택하여 자원의 재사용 및 재활용을 촉진하는 비즈니스는 환경적, 사회적 책임을 동시에 실현할 수 있습니다.

이러한 모델은 지속 가능한 비즈니스 운영을 가능하게 하며, 장기적으로 비용 절감과 고객의 충성도를 높일 수 있는 방안입니다.

투자 및 자금 조달 기회 확대

ESG에 초점을 맞춘 스타트업은 ESG 기반 투자와 보조금을 활용하여 자금 조달을 용이하게 할 수 있습니다. 지속 가능한 프로젝트에 투자하는 벤처 캐피탈, ESG 기준을 중시하는 투자자들은 이러한 스타트업에게 자본을 제공하는 데 관심을 보일 가능성이 높습니다.

정부 및 비정부 기관에서 제공하는 보조금과 지원 프로그램을 활용할 수도 있으며, 이는 ESG 프로젝트의 개발과 성장에 필수적인 자원을 제공합니다.

브랜드 이미지 및 고객 충성도 강화

ESG 경영에 대한 노력은 스타트업의 브랜드 가치를 높이고, 소비자들의 신뢰와 충성도를 증진시킵니다. 예를 들어, 사회적 책임을 중시하고 환경 보호에 기여하는 스타트업은 긍정적인 공공 이미지를 구축하고, 이를 통해 고객 기반을 확대할 수 있습니다.
지속 가능성에 대한 소비자 인식이 높아짐에 따라, ESG를 중심으로 한 마케팅 전략은 소비자들과의 강력한 연결고리를 만들어낼 수 있습니다.

규제 준수 및 위험 관리

초기 단계에서 ESG 기준을 준수하며 성장하는 스타트업은 장기적으로 규제 준수 비용을 절감하고, 사회적, 환경적 위험을 효과적으로 관리할 수 있습니다. 이는 스타트업이 미래의 규제 변화에 유연하게 대응할 수 있는 기반을 마련해줍니다.

또한, ESG를 통한 위험 관리는 스타트업이 잠재적인 위기 상황을 미리 예방하고, 장기적인 안정성을 확보할 수 있도록 돕습니다.

스타트업에게 주어진 ESG 기회는 지속 가능한 성장을 추구하며 시장에서의 경쟁력을 강화하는 중요한 수단입니다. ESG에 대한 명확한 이해와 전략적 접근은 스타트업이 미래 지향적인 비즈니스 모델을 구축하고, 다양한 이해관계자들과 긍정적인 관계를 형성하는 데 중요한 역할을 합니다.

결론

ESG(환경, 사회, 거버넌스) 경영의 중요성은 시대의 변화와 함께 더욱 강조되고 있습니다. 지속 가능한 성장을 추구하는 현대 사회에서 ESG 경영은 기업의 장기적인 성공을 위한 필수 요소로 자리 잡고 있습니다. 특히 스타트업에 있어서 ESG 경영은 단순한 가치 창출을 넘어서, 지속 가능한 비즈니스 모델의 구축, 투자자와 소비자의 신뢰 확보, 그리고 글로벌 시장에서의 경쟁력 강화라는 중요한 기회를 제공합니다.

스타트업의 ESG 경영 전망

스타트업은 혁신의 최전선에 서 있으며, ESG 경영을 통해 새로운 비즈니스 기회를 모색하고 시장에서 차별화된 위치를 확보할 수 있습니다. 앞으로 스타트업은 다음과 같은 방향에서 ESG 경영의 전망을 찾을 수 있습니다.

혁신을 통한 ESG 솔루션 개발: 스타트업은 기술 혁신을 통해 환경 문제 해결, 사회적 가치 창출, 투명한 거버넌스 구축 등 ESG 관련 문제에 대한 효과적인 솔루션을 개발할 수 있습니다.

지속 가능한 성장과 투자 유치: ESG 경영을 성공적으로 실천하는 스타트업은 투자자들로부터 더 많은 관심을 받게 됩니다. 특히, 지속 가능한 투자가 증가하는 추세에서 ESG 성과가 우수한 스타트업은 자본 조달에 유리한 위치를 확보할 수 있습니다.

브랜드 가치와 시장 경쟁력 강화: 스타트업이 ESG 경영을 통해 사회적, 환경적 책임을 적극적으로 실천함으로써 브랜드 가치를 높이고, 소비자 및 이해관계자들과의 신뢰를 구축할 수 있습니다.

결론적으로, 스타트업의 ESG 경영은 앞으로도 기업 성공의 중요한 동력이 될 것입니다. ESG 경영을 통해 스타트업은 지속 가능한 성장을 이루고, 사회적 가치를 창출하며, 미래 지향적인 비즈니스 환경을 선도해 나아가야 합니다. 앞으로 ESG 경영은 기업운영에 있어 더욱 중요한 위치를 차지하게 될 것이며, 스타트업은 이러한 변화를 선도하는 중요한 위치임을 기억하고 책임있는 경영을 만들어 가야 할 것입니다.